RÉANIMATION URBAINE ET POUVOIR LOCAL

Richard MORIN

RÉANIMATION URBAINE ET POUVOIR LOCAL

**Les stratégies des municipalités de Montréal,
Sherbrooke et Grenoble en quartiers anciens**

1987

Presses de l'Université du Québec
Case postale 250
Sillery, Québec   G1T 2R1

I.N.R.S.-Urbanisation
3465, rue Durocher
Montréal   H2X 2C6

ISBN 2-7605-0451-4

*Tous droits de reproduction, de traduction
et d'adaptation réservés* © 1987
Presses de l'Université du Québec
I.N.R.S.-Urbanisation

Dépôt légal — 2e trimestre 1987
Bibliothèque nationale du Québec
Bibliothèque nationale du Canada
Imprimé au Canada

À Louise et Magali

Table des matières

Liste des abréviations

A.N.A.H.:	Agence nationale pour l'amélioration de l'habitat
A.P.L.:	Aide personnalisée au logement
A.R.I.G.:	Association de restauration immobilière groupée
A.U.A.G.:	Agence d'urbanisme de l'agglomération de Grenoble
A.U.R.G.:	Agence d'urbanisme de la région grenobloise
B.A.S.:	Bureau d'aide sociale
C.A.F.:	Caisse d'allocation familiale
C.D.A.:	Centre des affaires
C.E.M.O.I.:	Centre d'entreprises, de métiers et d'opérations industrielles
C.I.D.E.M.:	Commission d'initiative et de développement économique de Montréal
C.O.S.:	Coefficient d'occupation des sols
C.R.I.U.:	Centre de recherche et d'innovations urbaines
C.U.M.:	Communauté urbaine de Montréal
D.I.A.:	Déclaration d'intention d'aliéner
F.A.U.:	Fonds d'aménagement urbain
FRAPRU:	Front d'action populaire en réaménagement urbain
G.R.T.:	Groupe de ressources techniques
G.R.T.H.M.:	Groupe de ressources techniques en habitation de Montréal
L.N.H.:	Loi nationale sur l'habitation

O.G.R.I.:   Opération groupée de restauration immobilière

O.M.H.M.:   Office municipal d'habitation de Montréal

O.M.H.S.:   Office municipal d'habitation de Sherbrooke

O.P.A.H.:   Opération programmée d'amélioration de l'habitat

O.P.D.Q.:   Office de planification et de développement du Québec

P.A.F.:   Programme d'action foncière

P.A.H.:   Prime à l'amélioration de l'habitation

P.A.Q.:   Programme d'amélioration de quartier

P.A.R.E.L.:   Programme d'aide à la remise en état de logements

P.C.F.:   Parti communiste français

P.O.S.:   Plan d'occupation des sols

P.S.F.:   Parti socialiste français

P.S.U.:   Parti socialiste unifié

P.U.D.:   «Planned Unit Developement»

R.F.I.V.G.:   Régie foncière et immobilière de la Ville de Grenoble

R.H.I.:   Résorption de l'habitat insalubre

S.A.D.I.:   Société d'aménagement du département de l'Isère

S.C.H.L.:   Société centrale d'hypothèques et de logement et, à partir de 1979, Société canadienne d'hypothèques et de logement

S.D.E.D.I.C.:   Société d'organisation et d'études de diffusion industrielle et commerciale

S.E.M.A.:   Société d'économie et de mathématiques appliquées

S.H.Q.:   Société d'habitation du Québec

SOMHAM: Société municipale d'habitation de Montréal

S.R.E.M.:   Société de renouvellement de l'est de Montréal

S.U.V.M.:   Service d'urbanisme de la Ville de Montréal

Z.A.D.:   Zone d'aménagement différé

Z.I.F.:   Zone d'intervention foncière

Z.U.P.:   Zone d'urbanisation prioritaire

Z.A.D.:   Zone d'aménagement différé

Z.I.F.:   Zone d'intervention foncière

Z.U.P.:   Zone d'urbanisation prioritaire

Liste des tableaux

Liste des cartes

Liste des photos

Liste des annexes

AVANT-PROPOS

Ce livre a pour origine la thèse de doctorat en urbanisme que j'ai soutenue, à l'automne 1983, à l'Université des Sciences sociales de Grenoble. Il en reprend chacun des chapitres, lesquels ont cependant été remaniés pour les fins de cette publication. De plus, certaines données ont été remises à jour à la lumière des nouvelles informations disponibles.

Cet ouvrage s'inscrit dans un contexte historique, social et intellectuel particulier. De plus, plusieurs personnes ont contribué à sa réalisation. Je tiens à remercier, pour leur précieuse collaboration, les représentants des organismes suivants: la Société d'habitation du Québec, le Service de la restauration et de la conservation du patrimoine résidentiel, ainsi nommé à l'époque de la recherche, et le Service de l'urbanisme de la Ville de Montréal; la Division de l'urbanisme et la Division de l'habitation de la Ville de Sherbrooke; le Service Vieux Quartiers de la Ville de Grenoble; l'Agence d'urbanisme de la région grenobloise et l'Association de restauration immobilière groupée de Grenoble; les organismes populaires des quartiers Centre-sud à Montréal et Centre-sud à Sherbrooke ainsi que l'Union de quartier et le Centre social, culturel et sportif du quartier Berriat à Grenoble.

Je remercie également pour leur patient travail de lecture et leurs judicieux commentaires, les membres du comité de rédaction ainsi que les lecteurs externes de la collection «Questions urbaines et régionales» et, plus particulièrement, la présidente de ce comité, Francine Dansereau, professeure à l'INRS-Urbanisation. J'exprime aussi des remerciements à Marie Deschamps, M.Sc. géographie et André Parent, technicien en cartographie, pour la confection des cartes ainsi qu'à Line Lapierre, pour son excellent travail de dactylographie. Enfin, je tiens à souligner la contribution financière de l'Université du Québec à Montréal à la publication de cet ouvrage.

INTRODUCTION

Dans les pays industriels avancés, de vieux quartiers centraux sont l'objet, au cours des années 1950 et 1960, d'opérations de rénovation urbaine. Ces opérations de démolition – reconstruction visent la restructuration symbolique, sociale, économique et fonctionnelle de ces quartiers (voir, entre autres, EZOP-Québec, 1972). Ces opérations soulèvent cependant de nombreux problèmes et seront finalement abandonnées. Mais avant même qu'elles ne le soient, un autre type d'opération se développpe: la restauration[1] résidentielle qui prend son véritable essor dans les années 1970. Pour les autorités publiques, il ne s'agit plus de raser les zones grises, mais plutôt de favoriser la réanimation de ces quartiers qu'il sera convenu d'appeler les «quartiers anciens».

Ce ne sont pas tous les vieux quartiers qui seront l'objet de tentatives de revalorisation. Les villes où ces quartiers se situent sont pour la plupart des centres ou sous-centres régionaux, nationaux et même internationaux. Les activités tertiaires y prennent de plus en plus d'importance au détriment des activités industrielles. De plus, le cadre bâti de ces villes se caractérise par une certaine épaisseur historique. Quant aux quartiers qui seront affectés, ils présentent des potentialités fonctionnelles, économiques et/ou symboliques, et constituent, pour différents acteurs sociaux, divers enjeux. L'institution politico-administrative locale sera alors amenée à intervenir afin, d'une part, d'appuyer le processus de réanimation de ces quartiers et, d'autre part, de réguler les contradictions sociales que ce processus révèlera.

La revitalisation des quartiers anciens soulève ainsi la question du pouvoir local, c'est-à-dire du contrôle que les diverses forces sociales, économiques et politiques exercent dans le champ local. La scène locale a été, dès les années 1920, un objet d'étude privilégié de l'École de Chicago (Park *et al.*, 1925) et des chercheurs qu'elle a influencés. On abordait l'espace urbain comme une source de déséquilibre social. On traçait des portraits de villes et de quartiers en faisant ressortir les dysfonctions auxquelles il fallait remé-

---

1. Nous emploierons indifféremment les termes «restauration» et «réhabilitation».

dier, ce qui devait permettre aux planificateurs urbains de corriger les erreurs spatiales pour retrouver l'harmonie sociale. C'était donc une approche dont les résultats semblaient pouvoir facilement trouver une application sur le terrain en termes de solutions physiques, d'où son intérêt pour le praticien de l'urbanisme: «il a été attiré par les explications écologiques car elles relient les comportements à des phénomènes sur lesquels il peut intervenir» (traduit de Gans, 1962, p. 643).

En opposition à cette approche, un nouveau courant mettra plutôt l'accent, à partir du milieu des années 1960, sur les déterminismes économiques et politiques du phénomène urbain. La ville représentera, non plus le désordre social, mais plutôt l'ordre du capital soutenu par l'État. Manuel Castells (1972) insista sur la détermination structurelle de l'espace urbain, ses transformations devant être référées au système économico-politique global, au «capitalisme monopoliste d'État». La ville n'est plus abordée comme donnée, mais comme produite.

Toutefois, depuis le milieu des années 1970, de nouvelles tendances de recherches apparaissent à l'intérieur de l'école néo-marxiste française et chez les chercheurs qui s'en sont inspirés ailleurs en Europe et de ce côté-ci de l'Atlantique. Ces tendances, tout en reconnaissant l'importance d'insérer les analyses urbaines dans un cadre historique, économique et politique général, s'intéressent à dégager les spécificités locales de la dynamique urbaine (voir, entre autres, Bleitrach *et al.*, 1981). Les acteurs locaux (municipalités, grands et petits industriels et commerçants, promoteurs immobiliers, propriétaires fonciers, vieux notables, nouvelles couches moyennes, organismes populaires...) dont les rapports ne sont pas nécessairement calqués sur ceux des grands acteurs nationaux, contribuent de manière significative à cette dynamique urbaine. Le présent ouvrage se situe dans cette dernière perspective.

Nous traiterons donc plus particulièrement des enjeux que vont constituer, pour divers acteurs locaux, certains quartiers anciens. Nous analyserons les diverses modalités de l'intervention municipale visant à favoriser la revitalisation de ces quartiers et à aménager certains compromis sociaux à l'échelle locale. Nous étudierons les obstacles rencontrés par l'intervention municipale en quartiers anciens et examinerons les réorientations auxquelles ces obstacles ont parfois conduit. Nous nous pencherons enfin sur les mutations des quartiers touchés et sur le rôle qu'a pu y jouer l'intervention municipale. Cet examen nous permettra de faire ressortir les particularités locales, à la fois des enjeux soulevés en quartiers anciens, des modalités et difficultés de l'intervention municipale et des mutations que vont connaître les quartiers affectés.

La recherche dont cet ouvrage fait état s'est appuyée sur trois études de cas: l'intervention de la Ville de Montréal sur le quartier Centre-sud, celle de la municipalité de Sherbrooke sur le quartier également appelé Centre-sud et celle de la commune de Grenoble (France) sur le quartier Berriat. Elle couvre principalement la décennie 1970 et le début des années 1980.

Ces trois quartiers se sont développés au XIXe siècle comme espace de production industrielle et de reproduction de la force de travail. Au cours des années 1950 et 1960, ils vont montrer des signes de déclin: perte d'emplois industriels; diminution, vieillissement et appauvrissement de la population; dégradation du cadre bâti. Au cours des années 1970, ils constitueront de nouveaux enjeux pour certains acteurs présents sur la scène locale et seront alors l'objet d'interventions municipales visant leur revitalisation.

Nous nous sommes intéressé à l'intervention de la Ville de Montréal, car il s'agit d'une municipalité qui a innové au Québec, voire au Canada, en matière de restauration résidentielle et de regénérescence des vieux quartiers. Elle est intervenue dans ce domaine, avec relativement beaucoup de moyens, et suivant un mode libéral.

Nous nous sommes également penché sur l'intervention de la municipalité de Sherbrooke, car il s'agit, pour le Québec, d'une ville de taille moyenne, modèle qui est plus fréquent que le modèle montréalais. Il s'agit également d'une municipalité qui, malgré ses faibles moyens, est intervenue de façon relativement importante sur ses quartiers centraux, toujours selon un mode libéral, mais avec une particularité au plan de sa société locale: le dynamisme du mouvement coopératif.

Enfin, nous avons abordé le cas de Grenoble, car, comme Montréal, il s'agit d'une municipalité qui a innové dans son pays en ce qui a trait à l'intervention de l'institution politico-administrative locale en quartiers anciens. Ce qui distingue cependant Grenoble de Montréal et aussi de Sherbrooke, c'est que la municipalité qui a mis en œuvre sa propre politique des quartiers anciens, était une municipalité de gauche qui est intervenue suivant un mode plutôt social.

Au premier chapitre, nous exposerons la problématique de cette recherche; au second, nous analyserons le cas montréalais; au troisième, le cas sherbrookois; et au quatrième, le cas grenoblois. En conclusion, nous ferons un retour sur ces études de cas et nous tenterons d'en dégager les principaux enseignements.

Chapitre premier

QUARTIERS ANCIENS, ENJEUX LOCAUX ET STRATÉGIES MUNICIPALES: PROBLÉMATIQUE

En Europe occidentale et en Amérique du Nord, de vieux quartiers adjacents aux centres-villes, qui avaient été marqués par une forte activité industrielle et un habitat populaire important, connaissent, au cours des années 1950 et 1960, un processus de dévalorisation à la fois économique, social et symbolique. Afin de valoriser ces espaces, les pouvoirs publics de même que certains intérêts privés mettent alors en œuvre des opérations de rénovation urbaine: on rase des îlots complets pour y ériger de nouveaux bâtiments résidentiels ou de grands édifices à vocation tertiaire.

Toutefois, durant les années 1970, de vieux quartiers centraux, encore existants, devenus quartiers anciens, représenteront de nouvelles potentialités et constitueront ainsi de nouveaux enjeux pour certains groupes sociaux de même que pour l'instance politico-administrative locale. Cette dernière cherchera alors à y favoriser un processus de revalorisation tout en tentant de gérer les contradictions sociales qui lui sont inhérentes. Les nouveaux enjeux que vont constituer ces quartiers, les forces sociales en présence ainsi que les modalités et les difficultés de l'intervention municipale, bien que présentant des points communs, se distingueront tout de même d'un pays à l'autre, d'une ville à l'autre et d'un quartier à l'autre. Les particularités nationales et locales viendront donner diverses teintes à la question des quartiers anciens et à celle des stratégies municipales de revalorisation dont ils seront l'objet.

1. LA DÉVALORISATION DES VIEUX QUARTIERS POPULAIRES

Au cours des années 1950 et 1960, le capitalisme est en pleine expansion et le tissu urbain s'étend, ce qui se traduit par la création de nouveaux espaces industriels, résidentiels et commerciaux à la périphérie des villes centrales. Cette traduction spatiale du développement économique ne s'effectue pas, bien sûr, de façon mécanique. La production de l'espace est le fruit d'une dynamique complexe, c'est-à-dire du jeu de divers acteurs sociaux (les usagers du cadre bâti répartis en différents groupes selon l'âge, le sexe, l'ethnie, la classe sociale, ...), économiques (les détenteurs des capitaux industriels, financiers, commerciaux, immobiliers, ... qui ne forment pas non plus un groupe homogène) et politiques (les divers ordres de gouvernement qui se distinguent suivant les contextes nationaux et locaux).

La modernisation du procès de production requiert de grandes surfaces, mais le centre où s'est d'abord implantée l'industrie est un espace déjà construit et le sol y coûte cher. Or, il y a de grands terrains disponibles en périphérie des villes, terrains peu coûteux mais éloignés des sources d'approvisionnement, de la main-d'œuvre et des marchés. L'État interviendra en finançant le prolongement du réseau routier (et autoroutier) qui viendra desservir les nouveaux parcs industriels. Il interviendra également par des programmes d'habitation (jouant à la fois sur l'offre et la demande) qui favoriseront la construction de logements dans les banlieues. Les promoteurs immobiliers mettront en marché ces nouveaux espaces résidentiels caractérisés principalement aux États-Unis et au Canada par le bungalow et en France par le grand ensemble et l'habitat pavillonnaire. De nouveaux espaces commerciaux seront également créés: les centres commerciaux en Amérique du Nord et les grandes surfaces en France. Parcs industriels, lotissements exclusivement résidentiels et centres commerciaux constitueront alors les trois composantes de ces nouveaux territoires fonctionnalisés.

Les municipalités de banlieue ne seront aucunement réticentes, à cette époque, au développement de leur territoire. Elles appuyeront d'ailleurs celui-ci par diverses mesures, comme le zonage (cf. les «Planned Units Development» (PUD) en Amérique du Nord et les Zones d'urbanisation prioritaire (ZUP) en France). Ce développement représente un attrait fiscal (l'impôt foncier de ce côté-ci de l'Atlantique qui est fonction de l'évaluation foncière et la taxe professionnelle en France qui repose sur l'activité économique) et un atout politique (augmentation du poids économique et démographique) vis-à-vis les municipalités centrales.

L'espace moderne de la périphérie concurrencera alors l'espace vétuste de la ville et un nouveau modèle résidentiel se diffusera avec ses référents symboliques et utilitaires. La banlieue attirera ainsi sa clientèle d'usagers, ce qui complète la trilogie producteurs – institutions publiques – consommateurs à la base de la formation des nouveaux espaces résidentiels (Divay et Gaudreau, 1984, p. 37).

Cette urbanisation des espaces périphériques sera toutefois accompagnée du «déclin» de certaines zones centrales: d'une part, le développement des banlieues; d'autre part, l'obsolescence des vieux quartiers populaires situés au coeur des villes centrales, obsolescence amorcée par la relocalisation de différents capitaux.

Le mouvement de dévalorisation des quartiers anciens est inauguré par un mouvement de délocalisation du capital (immobilier, commercial et industriel) appelé à s'investir ailleurs, dans les autres champs ouverts par l'urbanisation.
(Ballain *et al.*, 1980, p. 17)

En effet, un grand nombre d'entreprises industrielles implantées dans ces quartiers et relevant souvent des secteurs traditionnels (aliments et boissons, vêtement et textile...) vont quitter ou tout simplement fermer leurs portes, leur équipement étant trop vétuste, leur surface de production trop exiguë et la concurrence trop forte. Ces entreprises laisseront derrière elles de vieux bâtiments dont plusieurs, restant vacants, représenteront des emplois perdus.

De nombreux ouvriers, souvent parmi les plus qualifiés, quitteront également ces vieux quartiers. Ils seront attirés, pour une bonne part, par les emplois qui se créeront ou se déplaceront en périphérie de même que par les nouveaux espaces résidentiels qui y seront offerts. Le déclin progressif de l'activité industrielle de ces quartiers leur conférera une certaine désutilité sociale. Ils ne constitueront plus l'espace d'accueil et de reproduction de la force de travail nécessaire au capital industriel qui y avait été investi. Ce départ de nombreux ménages ouvriers sera accompagné de l'exode des professionnels, artisans et commerçants dont la clientèle s'effrite. Ces vieux quartiers seront ainsi peu à peu délaissés par les couches sociales qui y étaient les plus solvables.

Les propriétaires occupants restés sur place seront souvent des personnes plus âgées dont l'avoir essentiel est leur maison et qui demeurent attachés à leur quartier. Certains de ces propriétaires n'auront cependant plus la force et les ressources financières pour améliorer et même entretenir leur logement. Quant aux logements appartenant à des propriétaires bailleurs résidant hors de ces quartiers, ils seront pour plusieurs, mal entretenus. D'une part, les investissements nécessaires ne peuvent être rentabilisés par les locataires (ouvriers non-spécialisés, «petits» employés, chômeurs, assistés sociaux, retraités...) qui sont peu solvables et constituent, de toute manière, une clientèle captive. D'autre part, étant donné la proximité du centre-ville, les terrains sur lesquels sont érigés ces logements viennent à prendre plus de valeur que ces derniers: il est donc inutile de dépenser quoi que ce soit pour leur entretien puisqu'il s'avère plus rentable de spéculer sur la valeur du sol (Lamarche, 1972). Il y aura donc, dans ces vieux quartiers adjacents aux centres-villes, désinvestissement aux plans industriel, commercial et immobilier, ce qui en fera de véritables espaces obsolètes.

Cependant, le centre ne sera pas qu'un espace de désinvestissement et la relocalisation du capital ne s'effectuera pas que vers la périphérie, il y aura également un mouvement de capitaux vers les centres-villes qui se manifestera notamment par les opérations de rénovation urbaine. Le redéveloppement des centres-villes aura certes une incidence sur les vieux quartiers situés à proximité:

> (...) non seulement ce redéveloppement va-t-il se faire aux dépens des vieux logements ouvriers, mais également des ateliers d'artisans, vieilles industries et petits commerces, opérant par là même une autre étape du processus de concentration du capital. (Choko., 1981, p. 16)

Le désinvestissement de certains capitaux (industriels, commerciaux et immobiliers) dans ces vieux quartiers sera donc en partie produit par l'investissement de capitaux d'autres types qui favoriseront le développement d'activités tertiaires au centre.

Ainsi, au cours des années 1950 et 1960, l'espace urbain se restructure: développement accéléré des banlieues, redéveloppement des centres-villes, obsolescence de certains quartiers centraux. C'est un portrait tiré à grands traits. Il évoque de façon générale une réalité canadienne, américaine et française qui est certes à nuancer pour chacun des pays concernés et à l'intérieur même de ceux-ci en termes de déroulement dans le temps et dans l'espace, de même qu'en termes de dynamique des acteurs impliqués.

2. UNE TENTATIVE DE VALORISATION: LES OPÉRATIONS DE RÉNOVATION URBAINE

Les opérations de rénovation urbaine ne toucheront pas seulement les centres-villes et plus précisément les centres d'affaires (CDA), «central business districts» (CBD) ou hyper-centres (expression utilisée en France), mais auront également pour objet certains vieux quartiers qui leur sont adjacents. Les autorités publiques y joueront un rôle important: l'État central en finançant des programmes de démolition – reconstruction et les municipalités en se faisant maîtres d'œuvre de ceux-ci. On trouvera ces programmes au Québec, au Canada, aux États-Unis et en France. Ils se distingueront bien sûr d'un pays à l'autre et même d'une ville à l'autre à l'intérieur d'un même pays, tout en présentant cependant des caractéristiques communes.

Ces opérations de rénovation urbaine trouveront leur légitimité dans la lutte contre les taudis qui en sera l'objectif officiel... Mais il s'agira en fait d'opérations de restructuration sociale. Aux États-Unis, en référence à ces opérations, on parlera de «Negro removal»[1]. En France, dans son étude sur l'opération de rénovation du XIIIe arrondissement à Paris, Henri Coing (1966)

---

1. La proportion des ménages noirs déplacés par les opérations de rénovation urbaine par rapport à la proportion des ménages blancs qui le seront, bien que considérable, tendra toutefois à diminuer. Au début des années 1960, on estimait que 80% des familles relocalisées étaient «non blanches» (Castells, 1972, p. 366). Au début des années 1970, on évaluait cette proportion à 58% (Sanders, 1980, p. 107).

constate que cette opération «provoque ou accélère une mutation des structures locales et sociales» (p. 14). Au Canada, cette restructuration sociale sera même un objectif avoué par les représentants des municipalités: «Il est essentiel de modifier la structure sociale en même temps que la structure physique»[2].

Les opérations de rénovation urbaine vont aussi viser la revalorisation symbolique des vieux quartiers dégradés. Ces quartiers ternissent l'image du centre et de la ville en général.

> Ce qui compte avant tout, c'est de donner à Montréal l'allure d'une grande métropole, par le percement de grandes voies de circulation, la démolition des quartiers lépreux (sic), la construction de grands immeubles. (Filion, 1960)

Pour Castells (1972, pp. 388, 398, 402), les opérations de rénovation urbaine à Paris marquent l'espace de cette ville d'une triple signification: modernité, embourgeoisement et prospérité. En ce qui concerne les opérations de rénovation urbaine aux États-Unis, l'auteur (1972, p. 370) souligne qu'elles favorisent la défense du centre-ville contre la dégradation de son environnement, non seulement fonctionnelle mais également symbolique.

Enfin, les opérations de rénovation urbaine auront également comme but la rentabilisation de l'espace. N.H. Lithwick note, dans son rapport publié en 1970, que les programmes de rénovation urbaine ont comme objectif, au-delà de la suppression des taudis,

> celui de rehausser la structure financière des municipalités. Celles-ci sont incitées à participer aux programmes de rénovation urbaine pour élargir leur assiette fiscale et augmenter leurs revenus. (p. 223)

Les vieux quartiers en déclin rapportent peu en taxes. Leur réaménagement physique, social et fonctionnel devrait y générer une augmentation de leurs valeurs foncières. C'est une logique semblable qui va pousser les municipalités américaines à mener ces opérations qui «représentent une source de revenu pour l'avenir» (Castells, 1972, p. 373). En France, l'impôt foncier n'a pas la même importance qu'en Amérique en ce qui a trait aux revenus des municipalités. Les opérations de rénovation urbaine n'en viseront pas moins une «nouvelle mise en valeur du sol» (Coing, 1966, p. 297). Cette valorisation du sol sera recherchée par les opérateurs publics et para-publics pour l'équilibre financier de leurs opérations et par les investisseurs privés pour faire fructifier leurs capitaux. En Amérique du Nord également, la rentabilisation de l'espace ne sera pas qu'un objectif des municipalités. Les agents économiques

---

2. Fédération canadienne des maires et des municipalités, *Mémoire à l'Honorable R.K. Andras, Ministre responsable du logement*, Ottawa, 5 avril 1971, p. 7, cité par Divay et Godbout (1973), p. 87.

qui injecteront des capitaux dans les quartiers centraux déblayés et équipés par les autorités, chercheront, bien sûr, à faire profiter leurs investissements.

Le déplacement des ménages que ces opérations entraîneront sera important. Au Québec, en 1973, 6662 familles auront été déplacées par suite de la mise en œuvre de 43 programmes de rénovation urbaine, soit une moyenne de 155 familles par projet (S.C.H.L., 1973, p. 58). Aux États-Unis, de 1950 à 1971, 293 068 familles et 157 297 individus auront été relocalisés par les opérations de rénovation urbaine (Sanders, 1980, p. 107). En France, la rénovation urbaine aura aussi pour conséquence l'éviction des populations résidantes. Traitant des occupants des logements démolis, le rapport du Commissariat général du plan (VIe plan, 1971-1975), portant sur la rénovation urbaine, conclut:

> Le quartier reconstruit ne leur est pas destiné, bien que les textes leur réservent un droit de priorité à être réinstallés sur place. Le nombre d'anciens occupants réinstallés sur place oscille entre 0 et 20% pour la majorité des cas. (République française, p. 14)

Ces opérations de réaménagement urbain seront donc dénoncées comme des opérations de déménagement forcé. Elles susciteront de nombreuses mobilisations populaires et même des émeutes aux États-Unis. Elles perdront ainsi leur légitimité sociale et seront alors condamnées par diverses commissions d'enquête.

Les opérations de rénovation urbaine seront finalement abandonnées, non seulement à cause de leurs impacts sociaux fort critiqués, mais également, et peut-être surtout, à cause de leurs coûts élevés. En effet, l'État aura englouti d'importants montants dans ces opérations et cherchera, au début des années 1970, à réduire son implication financière dans les domaines du logement et de l'aménagement urbain. Aux États-Unis, le gouvernement fédéral assurait les deux tiers des financements publics engagés dans les programmes de rénovation urbaine (Castells, 1972, p. 373). Au Canada, de 1948 à 1968, les travaux de réaménagement urbain ont coûté au Trésor fédéral 125 millions de dollars à «l'exclusion du coût élevé des habitations à loyer modique elles-mêmes» (Hellyer, 1969, p. 73). Pour la Commission d'étude sur le logement et l'aménagement urbain,

> Ces chiffres révèlent l'investissement, d'une valeur douteuse, de fortes sommes d'argent provenant des fonds fédéraux au moment où le pays continue à subir une pénurie de logement.
> (*Ibid.*, p. 74)

En France, le Commissariat général du plan (VIe plan, 1971-1975) propose, en ce qui concerne les opérations de rénovation urbaine, une certaine pause pour «concevoir de nouvelles opérations sans subvention de l'État» (République française, p. 32).

La rénovation urbaine coûtera également cher aux municipalités. Au Canada et aux États-Unis, les projets prévoyaient que les opérations seraient rentables. Les capitaux privés devaient suivre l'intervention publique et les hausses de revenus provenant d'une augmentation de la valeur foncière allaient couvrir et même dépasser les dépenses engagées par les municipalités. Cependant, la logique du capital n'a pas toujours convergé avec la logique municipale: des terrains déblayés et équipés à grands frais par des opérateurs municipaux se sont souvent retrouvés vacants faute d'investissement privé: «L'incapacité des gouvernements locaux à diriger le processus de développement s'est avéré la principale limitation des programmes de rénovation urbaine» (traduit de Sanders, 1980, p. 105). En France, les travaux de préparation du VIe plan concluent à une charge financière trop importante pour les municipalités qui mettent en œuvre des opérations de rénovation urbaine (République française, p. 11).

En 1966, le gouvernement américain réoriente son programme de rénovation urbaine pour mettre l'accent sur la conservation – réhabilitation des logements plutôt que sur la démolition – reconstruction. En 1974, ce programme est supprimé: le gouvernement fédéral va favoriser la restauration résidentielle, l'amélioration du cadre de vie de même que le développement économique communautaire par diverses formes d'aide qui vont cependant beaucoup s'appuyer sur l'initiative locale (publique et privée). En 1969, le gouvernement canadien suspend son programme de rénovation urbaine. Ce dernier est définitivement aboli en 1973 alors que la Loi nationale sur l'habitation subit de substantielles modifications: de nouveaux programmes axés sur l'amélioration des quartiers existants et la restauration résidentielle sont alors mis sur pied. En France, le VIe plan (1971-1975) sera marqué par un désengagement financier de l'État à l'égard des opérations de rénovation urbaine et par l'annonce d'un nouvel objectif: l'amélioration du patrimoine ancien. En 1976, la réforme de la politique du logement du gouvernement français est enclenchée: elle vise l'aménagement des centres et quartiers urbains existants.

Ces nouveaux programmes mis en place par l'État, davantage orientés vers la préservation et l'amélioration du cadre bâti existant que vers sa démolition, feront souvent suite aux demandes et aux initiatives municipales. Au Québec, par exemple, 57% des municipalités répondant à un questionnaire distribué en 1969 par l'Union des municipalités du Québec estimaient que «pour répondre aux besoins actuels du logement, on devrait mettre l'accent sur la restauration des bâtiments existants» (U.M.Q., 1969, p. 6). Dès 1966, par suite des amendements à la Charte de la Ville (art. 787 a, c, d, e) que la municipalité avait obtenus en 1962 et en 1965 du gouvernement provincial, le Conseil municipal de Montréal adoptait le règlement 3292 de subvention à la restauration résidentielle. En 1971, un Comité tripartite composé de représentants de la Ville de Montréal, du gouvernement fédéral (Société centrale d'hypothèques et de logement et Département d'État chargé des affaires urbaines) et du gouvernement provincial (Société d'habitation du Québec) recommandait la participation financière des paliers supérieurs de gouvernement à l'expérience d'incitation à la restauration menée par la Ville de Montréal. En France, dès le début des années 1970, la municipalité de Grenoble mettait de l'avant sa propre politique concernant les vieux quartiers centraux, ayant pour objectif la réhabilitation de l'habitat ancien et la conservation du tissu urbain et ce, avant que le gouvernement français ne réforme, en 1976, sa politique du logement.

3. LA REVALORISATION DES QUARTIERS ANCIENS

Au cours des années 1970, les grands pays industrialisés de l'Ouest vont entrer dans une autre phase du capitalisme: ralentissement de la croissance, virage technologique dans les activités de production et tendance à la tertiarisation des économies nationales et locales. On assiste alors à d'importants changements dans la structure socio-professionnelle dont une des manifestations est le développement de cette classe sociale identifiée comme la «nouvelle petite bourgeoisie» ou les «nouvelles couches moyennes intellectuelles». Cette classe est constituée des travailleurs intellectuels, en grande majorité salariés, qui exercent des professions dans les domaines de la santé, de l'éducation et des arts ainsi que dans ceux des sciences sociales et techniques. La structure socio-démographique se transforme également par rapport à celle de l'après-guerre, ce qui se répercute sur la composition des ménages et la nature de la demande de logements. Ces grands phénomènes auront une incidence sur l'espace urbain. La position des vieux quartiers centraux se trouvera modifiée et un mouvement de revalorisation affectera ces derniers: de nouvelles activités y seront implantées, de nouveaux résidants s'y établiront, de nombreux logements y seront restaurés, un nouvel ordre symbolique y sera créé...[3].

Les centres-villes connaîtront une augmentation de leurs activités tertiaires qui aura souvent été appuyée par les opérations de rénovation urbaine. Les activités de production céderont le pas aux activités de direction et de services qui vont profiter de leur concentration au centre (Fainstein et Fainstein, 1982, p. 173). Le développement de l'industrie touristique dans certaines villes aura également un impact sur leurs zones centrales qui deviendront objets de consommation individuelle et collective (*Ibid.*). L'accroissement de l'emploi tertiaire au centre et l'attrait de ce nouvel espace de con-

---

3. F. Dansereau (1985) brosse un tableau fort complet de la question telle qu'elle se pose aux États-Unis et au Canada.

sommation inciteront certains ménages appartenant à la nouvelle petite bourgeoisie à se rapprocher du centre et à s'installer dans les quartiers qui y sont adjacents.

Le ralentissement de la construction résidentielle, l'augmentation du prix d'accès au logement neuf, la hausse des coûts de transport et la baisse générale du pouvoir d'achat rendront également plus intéressante, pour certains ménages, l'occupation d'un vieux logement en quartier ancien, plutôt que celle d'une nouvelle résidence en périphérie (Cicin-Sain, 1980, p. 50).

De plus, le nombre élevé d'adultes âgés entre 25 et 35 ans, conséquence du baby boom d'après-guerre, le départ précoce du foyer parental, l'entrée tardive dans la vie conjugale, la diminution du nombre d'enfants par ménage et l'augmentation du nombre de divorces auront pour effet la multiplication des ménages de petite taille. À ce phénomène viendra aussi s'ajouter l'accroissement du nombre de femmes qui entreront sur le marché du travail. Ces facteurs socio-démographiques rendront également le modèle résidentiel de banlieue centré sur la vie familiale moins attrayant. Un logement plus près du centre apparaîtra ainsi, pour certains ménages, plus intéressant (London, 1980, pp. 83-84).

Le changement d'attitude de certains ménages par rapport aux vieux quartiers centraux sera aussi lié à l'émergence de nouvelles valeurs. L'idéologie moderniste qui avait soutenu l'exode vers les nouveaux secteurs résidentiels en périphérie et les opérations de rénovation urbaine au centre ne fait plus consensus. Une contre-idéologie pro-urbaine, néo-communitariste et néo-conservationniste, valorisant la diversité sociale et fonctionnelle offerte dans les zones centrales, la participation à une vie de quartier animée et à de nouvelles expériences sociales, et la préservation de l'environnement et du patrimoine, marquera cette nouvelle culture propre aux nouvelles couches moyennes (Allen, 1980, pp. 409-428). Les vieux quartiers centraux, devenus par la magie du langage quartiers anciens, vont s'inscrire dans un nouvel ordre symbolique qui leur conférera une centralité nouvelle dont le ludique, l'historicité, l'ambiance et la rencontre seront les principales composantes (Bourdin, 1979, pp. 20-25). Cette centralité nouvelle ne sera bien sûr pas étrangère à la nouvelle centralité touristique dont il a été fait mention précédemment. L'espace même des quartiers centraux deviendra ainsi objet culturel d'une occupation/consommation dont les principaux acteurs seront ces nouvelles couches moyennes. Les quartiers anciens constitueront l'espace de reproduction de ces couches sociales qui, tout en se rapprochant de leur lieu de travail, affirmeront ainsi leur présence sur un territoire qui permettra la valorisation de leur capital culturel (Germain, 1984, pp. 35-37).

Certains intérêts fonciers et immobiliers interviendront également dans ce processus de revalorisation des quartiers anciens dont ils voudront tirer profit, une nouvelle rente étant ainsi créée dans l'espace ancien. Neil Smith (1979, p. 540) présente même ces intérêts comme déterminants dans ce processus. De plus, avec le ralentissement du marché de la construction neuve, celui de la restauration du logement ancien représentera pour certains entrepreneurs et professionnels du bâtiment un nouveau débouché qui nécessitera toutefois une expertise différente. La revalorisation des quartiers anciens intéressera aussi certains commerçants des zones centrales désireux de reprendre une partie de leur clientèle passée aux centres commerciaux périphériques: la dégradation et la paupérisation des vieux quartiers constitueront une ombre à leur projet, que la revitalisation de ces quartiers pourra dissiper.

De nouveaux résidants s'établiront donc dans ces vieux quartiers devenus plus attrayants. Ce sont, en général, des personnes de 25 à 35 ans, avec une scolarité et un revenu plus élevés que ceux de la population déjà en place, formant des ménages avec peu ou pas d'enfant et travaillant dans le secteur tertiaire (Gale, 1979, pp. 293-304). Cette colonisation des quartiers centraux par certaines fractions des couches moyennes n'est certes pas comparable à un vaste raz-de-marée qui frappe l'ensemble des quartiers anciens. Il s'agit plutôt d'une «revalorisation sélective des quartiers anciens» (Ballain *et al.*, 1980, p. 17) qui n'affecte, souvent partiellement, que certaines villes à fortes activités tertiaires et certains quartiers proches du centre des affaires (Lipton, 1977, p. 58), qui présentent des potentialités intéressantes en termes de stock de logement, d'équipements collectifs, d'attrait symbolique (Cicin-Sain, 1980, p. 53)... De plus, il n'y aura pas, au cours des années 1970, de renversement de la tendance au dépeuplement des villes centrales. Les banlieues ne perdront pas de population au profit de ces villes, les nouveaux arrivants dans les quartiers anciens provenant en majorité des villes centrales elles-mêmes (Dansereau, 1985; Germain, 1984). La réanimation des quartiers anciens sera ainsi à associer non pas au retour en ville des couches moyennes, mais plutôt au non départ de la ville de certaines fractions de ces couches sociales.

La réanimation de certains quartiers centraux va donc accélérer le changement de leur position à l'intérieur de leur ville. Ces quartiers vont se rapprocher économiquement, socialement et symboliquement du centre des affaires qui leur est adjacent, et ne constitueront plus des espaces fermés et ségrégés: ils s'ouvriront à de nouveaux investissements, à de nouvelles activités et à de nouveaux occupants. Cette réanimation aura aussi des effets sur la «place», sur le milieu de vie, que constituent ces quartiers.

La composition sociale de ces quartiers s'en trouvera d'abord modifiée. On assistera à un phénomène de «gentrification» ou d'embourgeoisement, c'est-à-dire au remplacement graduel d'une partie des anciens résidants appartenant aux couches populaires par de nouveaux résidants appartenant à la petite bourgeoisie professionnelle ou aux «yuppies» (les «young urban professionnals»). La restauration résidentielle tendra à «faire effectuer au logement un saut qualitatif important, c'est-à-dire à créer une nouvelle marchandise» (Ballain et al., 1977, p. 192) dont les coûts d'accès seront plus élevés. Un nouveau marché se développera, celui de l'habitat restauré ou potentiellement restaurable, avec une nouvelle clientèle capable de payer. Les anciens résidants, moins solvables, seront ainsi délogés. En France, certains auteurs relient d'ailleurs les opérations de réhabilitation de l'habitat aux opérations de rénovation urbaine, les premières étant présentées comme «la forme actualisée de la notion de reconquête urbaine» (Loinger et Venny, 1980, p. 20). Au Québec, des études menées au milieu des années 1970, évaluent à environ 50% la proportion des anciens ménages qui ne retournent pas dans leur logement après une restauration (Clinique d'aménagement, 1976, p. 73; Vachon, 1975, p. 101). Aux États-Unis cependant, les estimations de l'ampleur des déplacements dus à la réanimation des quartiers anciens diffèrent suivant les points de vue: du point de vue de l'appareil gouvernemental (Sumka, 1979, pp. 480-487), ces déplacements sont minimes; du point de vue des mouvements radicaux, ils sont importants (Hartman, 1979, pp. 488-490). Une étude menée à Washington confirme cette dernière estimation (Gale, 1980, pp. 95-115). Est-ce un cas particulier? En fait, la revitalisation des quartiers anciens entraîne des déplacements dont l'ampleur varie selon le type de quartier touché et le stade du processus de revitalisation, et ces déplacements affectent plus particulièrement les personnes âgées, les minorités ethniques, la classe ouvrière et les ménages locataires (Cicin-Sain, 1980, pp. 70-71).

La modification de la composition sociale des quartiers revitalisés est accompagnée d'une transformation de leur structure commerciale: aux petits commerces locaux se substitueront des commerces de type nouvelle culture (boutiques d'artisanat, bistros et cafés...). Il y aura aussi des changements au plan des équipements collectifs: nouveaux parcs, nouveau mobilier urbain, nouveaux équipements socio-culturels... Enfin, le processus de désindustrialisation se poursuivra. Bref, la «place» que constitue ces quartiers, sera en mutation...

Le processus de revitalisation qui affectera de nombreux quartiers anciens au cours des années 1970 revêtira diverses facettes. Ces facettes se distingueront d'une ville à l'autre, suivant leur histoire, leur taille, leur fonction économique, les forces sociales en présence... ainsi que d'un quartier à l'autre, suivant leur distance par rapport au centre-ville et aux secteurs périphériques, leurs caractéristiques physiques, fonctionnelles, économiques et symboliques, leur dynamique sociale propre...

4. L'INTERVENTION MUNICIPALE EN QUARTIERS ANCIENS

Sur la base des potentialités qu'ils représentent, certains quartiers anciens vont donc constituer, au cours des années 1970, des enjeux pour certains groupes sociaux: espaces de reconquête, pour les nouvelles couches moyennes; lieux d'extraction possible d'une rente, sous-marchés du logement à décloisonner et tissus urbains à adapter aux transformations des centres-villes pour certains intérêts fonciers, immobiliers et commerciaux; marchés de la restauration résidentielle, pour certains entrepreneurs et certains professionnels... (Ballain *et al.*, 1980, pp. 17-18); et territoires dont il faut améliorer le cadre de vie et garantir le «maintien sur place des résidants», pour les couches populaires qui y sont déjà établies et les organismes communautaires qui s'identifient à cette population. L'obsolescence des vieux quartiers a entraîné une dégradation des conditions de vie de ces couches sociales moins solvables, tandis que la réanimation de ces quartiers les menace d'éviction. Les municipalités, c'est-à-dire les instances politico-administratives locales, seront donc confrontées, en quartiers anciens, à des demandes sociales qui ne sont pas nécessairement convergentes. Elles interviendront sur ces quartiers pour y gérer le processus de revitalisation et en réguler les contradictions social (Ballain *et al.*, 1977, p. 7).

Les municipalités des villes centrales trouveront également leurs propres intérêts dans la revalorisation des quartiers anciens. Le déclin des activités économiques, la détérioration du cadre bâti, l'appauvrissement et la diminution de la population qui ont affecté ces quartiers représentent un manque à gagner pour le Trésor municipal et sont susceptibles d'avoir un effet négatif sur le rapport de force de ces municipalités centrales avec les municipalités périphériques qui connaissent une forte croissance économique et démographique. Il y a donc là un enjeu fiscal et politico-institutionnel qui va contribuer à l'implication des municipalités centrales dans le processus de revitalisation des quartiers anciens. Ainsi, l'accroissement de la population dans ces quartiers, l'arrivée de nouveaux résidants mieux nantis, l'augmentation de la valeur marchande de l'espace ancien et l'implantation de nouvelles activités au centre et à sa périphérie vont-ils dans le sens des intérêts propres de ces municipalités. Cependant, ces dernières devront également tenir compte des couches populaires et de leur besoin en logements et en services, afin d'éviter ou d'atténuer des conflits qui pourraient «détruire le tissu social de la communauté locale» (traduit de Auger, 1979, p. 520).

4.1 Les particularités de la gestion du territoire local

L'instance politico-administrative locale gère un territoire multiclassiste dont elle tire le fondement de son pouvoir (Medam, 1977, p. 30). Elle n'est pas le simple instrument d'une classe ou d'un groupe social donné: «il n'existe pas de relations simples et univoques entre institutions locales et classes sociales» (d'Arcy *et al.*, 1977, p. V19). Il n'y a pas identité entre municipalité et classe dominante au niveau local, comme il n'y a d'ailleurs pas identité entre État et classe dominante au niveau national[4], le pouvoir municipal, comme le pouvoir central, ne formant pas un bloc monolithique (Lojkine, 1980, p. 636). L'institution municipale est le «lieu d'expression de »demandes sociales« contradictoires venant aussi bien des classes dominées que de la classe dominante» (*Ibid.*, p. 649). Une municipalité peut tendre à privilégier telle classe ou tel groupe social dans son mode de régulation des conflits, mais elle se doit de prendre en considération les autres classes ou groupes sociaux en présence. Le produit de la régulation, c'est le compromis qui peut bien sûr être orienté. L'institution municipale n'est pas nécessairement neutre, elle est sujette aux pressions et revendications des différents groupes locaux qui n'ont pas tous le même poids (Divay et Gaudreau, 1984, pp. 51-53).

Un des compromis visés, en ce qui concerne la revitalisation des quartiers anciens, sera le maintien sur place des résidants appartenant aux couches populaires, accompagné de l'apport d'une nouvelle population appartenant aux nouvelles couches moyennes. Ce compromis sera certes plus ou moins orienté, selon les municipalités, vers l'une ou l'autre catégorie de résidants, suivant non seulement les pressions de l'une ou l'autre de ces couches sociales, mais également celles liées aux intérêts fonciers, immobiliers et commerciaux pour lesquels ces quartiers constituent des enjeux. Bien sûr, il n'y a pas que le jeu de la demande sociale qui influe sur l'intervention municipale (Rich, 1980, pp. 202-203). Si l'instance municipale agit en faveur des couches populaires, c'est que ces dernières sont les plus sévèrement touchées par les lois du marché. L'instance municipale, pour assurer l'ordre social, pourra intervenir afin d'atténuer les effets du nouveau marché de l'habitat ancien sur ces couches sociales et de favoriser le maintien d'une partie du parc résidentiel ancien comme parc à vocation sociale.

Les enjeux que vont représenter les quartiers anciens, les forces sociales en présence et les stratégies municipales vont revêtir des particularités nationales. Le Québec, la France et les États-Unis se distinguent, par exemple, à plusieurs niveaux: structure urbaine, développement économique, contexte juridico-politique, etc. Ces enjeux, forces et stratégies revêtiront également des spécificités locales. Les villes se différencient par leur rôle économique et par les classes et fractions de classes qui y sont présentes, le capitalisme n'en étant pas partout, sur un même territoire national, au même stade de développement. Raymond Ledrut distingue d'ailleurs les villes à dominante ar-

---

4. «Certes l'État est bien l'État de la bourgeoisie. Mais ni la bourgeoisie, ni l'État ne sont »un« (Ledrut, 1976, p. 92).

chéo-bourgeoise, bourgeoise ou néo-bourgeoise (Ledrut, 1976, pp. 68-89). En bref, l'archéo-bourgeoisie se compose des propriétaires des petites et moyennes entreprises industrielles et commerciales, des membres des professions libérales traditionnelles et des propriétaires fonciers. Son influence sur la dynamique locale est importante dans certaines villes de petite et moyenne taille. La bourgeoisie comprend les propriétaires des grands moyens de production locaux. Elle exerce un pouvoir relativement important dans les villes dont l'industrialisation remonte au XIXe siècle. Enfin, la néo-bourgeoisie est formée des détenteurs du pouvoir économique dans les grands monopoles et des hauts technocrates des bureaucraties privées et publiques. Elle a peu de racines territoriales mais joue un rôle important dans les villes de grande taille marquées par le capitalisme avancé. Des groupes sociaux constitués sur la base de l'ethnicité, de la phase dans le cycle de vie, du mode d'occupation des logements (propriété simple, copropriété, coopérative, location ...) peuvent également se manifester de façon distincte d'une ville à l'autre. L'importance de la population et le rythme de la croissance démographique viennent également particulariser une ville par rapport à une autre. Les caractéristiques physico-spatiales peuvent aussi varier d'une ville à l'autre: composition de l'utilisation du sol, nombre d'unités et types de logements, âge des bâtiments, disponibilité des espaces constructibles, distance du centre-ville par rapport à la périphérie... Enfin, ces enjeux, forces et stratégies ne seront pas non plus nécessairement les mêmes d'un quartier à l'autre, les quartiers se distinguant, notamment, par leur fonction économique, leur occupation sociale, leurs caractéristiques physico-spatiales et leur attrait symbolique.

Ainsi, l'analyse du processus de revitalisation des quartiers anciens requiert-elle la prise en compte de la scène locale (Blanc, 1979, p. 12) dont la dynamique n'est pas nécessairement calquée sur celle de la scène nationale et dont la configuration peut varier d'une ville à l'autre suivant les enjeux qui s'y constituent et les forces en présence (Ledrut, 1976). La question du pouvoir local, c'est-à-dire le contrôle que les différentes forces exercent sur les divers échelons du territoire local, se trouve alors posée (Ledrut, 1979). Le pouvoir local ne se limite pas aux forces internes qui se manifestent dans le champ local; il se réfère aussi aux forces externes qui peuvent y exercer une influence. Le pouvoir local ne se réduit pas non plus au pouvoir municipal. L'appareil politico-administratif municipal exerce un certain contrôle dans le champ local, mais ne maîtrise pas toutes les forces impliquées dans la dynamique locale. L'appareil municipal n'est pas non plus réductible à une simple courroie de transmission de l'appareil central et la politique urbaine locale n'est pas un simple relais de la politique nationale (Lojkine, 1980, p. 636). Le rapport entre les différents groupes sociaux, les contradictions à réguler et les compromis à aménager ne sont pas identiques d'une échelle de gouvernement à l'autre.

L'institution municipale sera amenée à jouer un rôle de premier plan, par rapport à l'État dans le processus de revitalisation des quartiers anciens. D'une part, comme on l'a vu précédemment, elle sera confrontée à diverses demandes locales qui auront pour objet ces quartiers, notamment en tant qu'espaces de consommation de terrains, de logements, de services, de symboles. Ion et Micoud (1980) parlent, en référence à l'organisation de la vie hors-travail qui relève de la sphère de consommation, d'un

> processus de territorialisation qui place la demande sociale locale en position centrale et qui, du même coup (...) requiert un repositionnement de l'institution politique municipale face à l'État (...). (p. 94)

D'autre part, face à la crise économique, l'État se réservera de plus en plus l'intervention dans l'économie, c'est-à-dire dans la sphère de production, laissant aux institutions municipales la «gestion et le contrôle des populations», c'est-à-dire l'intervention dans la sphère de la consommation ou de la reproduction sociale (*Ibid.*, p. 92). L'État réduira notamment son implication dans le secteur de l'habitation[5], laissant ainsi une plus grande place dans ce secteur aux agents privés et aux instances politico-administratives locales.

4.2 Les modalités et difficultés de l'intervention municipale

L'intervention municipale concernant l'habitat ancien prendra différentes formes, suivant non seulement les enjeux que vont constituer les quartiers anciens et les forces qui y seront présentes, mais suivant également les divers moyens financiers, juridiques et techniques à la disposition de l'appareil municipal. La capacité qu'aura une municipalité à subventionner les opérations de restauration résidentielle, à acheter et à restaurer elle-même des logements, à faire usage d'un droit de préemption, à mener des études et à concevoir des politiques et des programmes... aura certes une influence sur le type d'action qu'elle mènera en quartiers anciens. De plus, deux modes différents d'intervention seront à distinguer, qui ne seront pas nécessairement exclusifs l'un par rapport à l'autre: un mode libéral qui vise à «soumettre (l'habitat ancien) aux mécanismes du marché» et un mode social dont l'«objectif est de promouvoir un parc social dans l'ancien» (Ballain *et al.*, 1977, p. 187).

L'intervention municipale en quartiers anciens consistera donc à inciter l'injection de capitaux dans l'habitat ancien afin d'en favoriser la réhabilitation, dans le but de permettre sa réinsertion dans un marché plus large, ou-

---

5. Depuis 1973, la Société canadienne d'hypothèques et de logement (S.C.H.L.) «se situe de plus en plus dans une logique de privatisation, de retrait de l'intervention directe dans la production de l'habitation et dans le fonctionnement du marché du logement», (Dansereau, 1982, p. 124). Désengagement financier, rationalisation des dépenses et responsabilisation des collectivités locales, tels sont les axes de la réforme du logement proposés, à l'État français, en 1975 (Nora et Eveno, 1975).

vert notamment à une clientèle plus solvable, et/ou de fournir un logement décent aux ménages les plus démunis sur le plan économique. Ce ne sera pas une tâche facile: les municipalités devront étudier le stock de logements en quartiers anciens, délimiter des secteurs stratégiques d'intervention, cerner les travaux d'amélioration nécessaires, évaluer les investissements requis, connaître les occupants, identifier les propriétaires, les encourager à faire entreprendre les travaux requis, procéder elles-mêmes, dans certains cas, à l'acquisition puis à la restauration de logements...

Les municipalités devront également intervenir, notamment à titre de propriétaires d'une partie des espaces publics, sur le cadre de vie des quartiers anciens afin d'y créer une nouvelle rente de situation propice à la réhabilitation de l'habitat (Ballain *et al.*, 1980, p. 19). La dégradation de l'habitat ancien n'est pas nécessairement due à son vieillissement, mais est surtout liée au processus général d'obsolescence des quartiers anciens. Pour favoriser la restauration résidentielle, les municipalités ne pourront donc se limiter à des actions sur le logement, mais devront adopter une approche plus globale. Ce volet de leur intervention viendra accentuer l'importance de leur rôle en quartiers anciens. Elles devront coordonner les démarches d'incitation à la restauration et les opérations sur le cadre de vie afin de produire un effet d'entraînement, les actions isolées ayant moins d'impact sur le processus de revitalisation des quartiers anciens. Ce sont les municipalités qui sont le plus en mesure d'assumer cette tâche de coordination, ce qui contribuera également à en faire des acteurs-clés de la réhabilitation.

Enfin, les municipalités chercheront, avant même souvent d'entreprendre leurs interventions, à légitimer le processus de revitalisation des quartiers anciens par un discours portant sur l'amélioration de la qualité de la vie et puisant dans les idéologies pro-urbaine, néo-communitariste et néo-conservationniste.

L'intervention municipale en quartiers anciens rencontrera divers obstacles qui auront souvent, en retour, une influence sur elle. L'intervention municipale sera évolutive et pourra être réorientée en fonction des difficultés qui se présenteront.

Il y aura d'abord les embûches dont les programmes de l'État sont la cause: les critères qui y définissent les zones d'intervention ne correspondront pas nécessairement à ceux des municipalités, les diverses procédures règlementaires viendront souvent ralentir les opérations et les prêts et subventions alloués s'avèreront, la plupart du temps, insuffisants. Les municipalités qui n'ont que peu de moyens (financiers, juridiques, techniques, ...) pourront alors se voir contraintes à appliquer ces programmes tels quels ou en essayant de les adapter; elles pourront aussi tenter d'en montrer les limites pour en provoquer des modifications. De leur côté, les municipalités qui ont plus de moyens et/ou une volonté politique bien arrêtée pourront, tout en profitant de ces programmes et en réclamant des changements, être amenées à mettre en œuvre leurs propres opérations qui viendront, éventuellement, influer sur ces programmes nationaux.

Il y aura aussi les obstacles dont l'origine est le propriétaire du ou des logements: l'attentisme spéculatif, le manque de fonds ou les préoccupations essentiellement mercantiles de certains propriétaires bailleurs, l'âge avancé et le peu de ressources de certains propriétaires occupants et les difficultés de gestion de certaines copropriétés (ce sera le cas en France) constitueront des blocages aux initiatives municipales. Les municipalités seront alors conduites à réorienter, de façon plus ou moins importante, leurs actions. Si la situation ne semble pas trop bloquée, s'il y a un préjugé favorable envers les propriétaires ou faute d'autres moyens, elles pourront se limiter à réitérer leurs démarches, avec plus d'insistance. S'il y a émergence d'un nouveau type de propriété (par exemple, la coopérative d'habitation) qui semble mieux en mesure d'assurer la réhabilitation d'une partie du stock de logements, elles pourront en encourager le développement. Si les blocages sont trop sérieux, elles pourront se faire plus interventionnistes en procédant à l'acquisition – restauration de logements pour secouer le libre marché ou pour contrôler carrément une partie du parc ancien...

Il y aura également les difficultés découlant du manque de maîtrise des municipalités sur le cadre de vie des quartiers. Certes, elles possèdent une partie des équipements publics et interviendront, d'ailleurs, d'abord sur celle-ci: la réfection du réseau d'égoût et d'aqueduc, l'enfouissement des fils électriques, la remise à neuf des trottoirs et de la chaussée, l'aménagement de parcs... viendront revaloriser l'espace des quartiers anciens et ce, grâce souvent, à des financements de l'État. Mais, dans certains cas (selon le partage des compétences entre les divers ordres de gouvernement), le contrôle sur les grands équipements structurants échappera nettement aux municipalités: par exemple, au Québec, les équipements communautaires et de santé comme les Centres locaux de services communautaires (C.L.S.C.) relèvent du ministère québécois des Affaires sociales et les écoles primaires et secondaires sont sous la juridiction des commissions scolaires locales, indépendantes des municipalités.

De plus, les municipalités ont encore moins de contrôle sur les activités économiques. Or, les implantations commerciales, industrielles et tertiaires constituent des éléments importants du cadre de vie des quartiers anciens, sur lesquels les municipalités voudront intervenir. Mais les moyens sont faibles, ils se limiteront souvent à une intervention sur les équipements d'infrastructure: élargissement de trottoirs, installation de nouveaux lampadaires, aménagements piétonniers... pour les activités commerciales; aménagement d'un parc viabilisé... pour les activités industrielles, élargissement d'une rue ... pour les activités tertiaires. Et la logique municipale n'est pas nécessairement la même que celle des forces qui contrôlent ces activités: l'aménagement d'un terrain zoné industriel n'impliquera pas nécessairement la construction d'une usine. Les financements seront souvent plus incitatifs que les équipements, or ils relèvent de l'État... Les municipalités rechercheront parfois les moyens de dépasser ces limites. Elles pourront susciter le regroupement des principaux agents économiques locaux afin de leur soumettre des propositions et/ou de susciter des projets concertés; elles pourront aussi s'associer à des regroupements déjà constitués; elles pourront également se doter d'organismes municipaux ayant pour mandat la recherche de nouveaux outils de promotion économique.

Il y aura aussi les obstacles engendrés par le découpage opérationnel du territoire. La délimitation de zones déterminées d'intervention à l'intérieur des quartiers anciens confinera certains financements au logement, certaines actions sur le cadre de vie et certaines mesures de contrôle du marché foncier, à une partie seulement de ces quartiers. Il y aura donc des propriétaires de logements en quartiers anciens qui pourront profiter de financements publics et d'autres pas: cela pourra constituer un frein à l'effet d'entraînement. Il y aura aussi des résidants qui verront leur environnement s'améliorer et d'autres pas: cela pourra constituer un autre frein à l'effet d'entraînement en dévalorisant davantage, par comparaison, les zones non-touchées. Il y aura également des propriétaires de logements qui verront leurs conditions de location et de vente strictement règlementées, alors que d'autres pourront librement tirer profit de la nouvelle rente de situation procurée à leurs logements par la revalorisation du parc voisin. Face à ces obstacles, les municipalités seront souvent amenées à élargir le périmètre d'intervention.

Bref, l'institution municipale fera face, dans son intervention en quartiers anciens, à divers obstacles. Toutefois, ces obstacles ne l'empêcheront pas de jouer un rôle important dans le processus de revitalisation de ces quartiers, rôle d'accompagnateur, souvent, d'un mouvement déclenché par certaines forces sociales, mais aussi rôle, parfois, de catalyseur de ce mouvement.

Trois cas seront donc à l'étude: l'intervention de la municipalité de Montréal sur le quartier Centre-sud, celle de la municipalité de Sherbrooke sur le quartier du même nom, et enfin, celle de la municipalité de Grenoble sur le quartier Berriat. L'analyse portera sur les enjeux que constituent ces quartiers, sur les modalités de l'intervention municipale favorisant leur revitalisation, sur les obstacles rencontrés par ces municipalités, et, enfin, sur les mutations des quartiers touchés et sur le rôle qu'a pu y jouer l'intervention municipale.

5. TROIS TERRAINS, TROIS VILLES: QUELQUES REPÈRES

Avant de passer aux études de cas, voici quelques indications sur chacune des villes concernées. Il s'agit de rapides descriptions qui permettront de saisir certaines particularités de ces villes et de mieux situer les analyses qui vont suivre.

5.1 Indications sur Montréal

La ville de Montréal compte plus d'un million d'habitants en 1971[6], alors que l'agglomération métropolitaine regroupe près de 3 millions de résidants. Le Québec comprend, à la même époque, un peu plus de 6 millions d'habitants et le Canada, environ 22 millions. Montréal est la ville-centre du bassin industriel le plus important au Québec. Elle reste toutefois spécialisée dans les secteurs dits traditionnels: alimentation, vêtement, etc. Cette situation s'accompagne du maintien d'une importante population ouvrière peu qualifiée et faiblement rémunérée. En 1971, le revenu familial moyen des résidants de la ville de Montréal est d'ailleurs inférieur à celui des villes de la région métropolitaine (O.P.D.Q., 1979b, p. 8). Montréal est aussi une métropole nord-américaine avec un grand nombre de sièges sociaux. On y trouve également un secteur des services et un secteur commercial fort bien développés. De plus, les gouvernements canadiens et québécois y ont de nombreuses antennes et quatre universités de même que plusieurs centres de recherche y sont implantés. On comptait, en 1971 sur le territoire de la ville de Montréal, 159 420 emplois secondaires et 437 735 emplois tertiaires (O.P.D.Q., 1979a, p. 46). Les programmes dont il sera question dans le chapitre suivant, ont été mis en œuvre sous l'administration du maire Drapeau élu pour la première fois en 1954. En 1957, il subit la défaite, mais il se fait réélire en 1960 et il restera maire de Montréal jusqu'en 1986 alors qu'il décide de se retirer.

Montréal est au centre d'une vaste agglomération dont le territoire est loin d'être socialement homogène. C'est sur l'île de Montréal, et plus particulièrement à l'intérieur des limites de la ville de Montréal, que l'on trouve les zones à statut socio-économique le plus modeste. Mais c'est aussi sur l'île de Montréal, dans sa partie ouest, que l'on trouve la plus grande concentration de zones à statut socio-économique élevé (Foggin et Polèse, 1976). Le territoire même de la ville de Montréal est coupé en deux: de part et d'autre de la rue Saint-Laurent qui le traverse du nord au sud, il y a l'est francophone et l'ouest anglophone[7], le «corridor» de la rue Saint-Laurent constituant le sec-

---

6. Nous faisons ici référence à 1971, car c'est à la fin des années 1960 et au début des années 1970 que s'ébauchent, au niveau municipal, les premières interventions visant la revitalisation des quartiers anciens.

7. Il s'agit bien sûr d'un découpage grossier qui correspond de moins en moins à la réalité (Veltman, 1983, pp. 379-390).

teur d'implantation des néo-québécois. De plus, suivant ce corridor, il y a ce qu'on a appelé le T inversé de la pauvreté, le centre-ville se trouvant à l'intersection des deux axes et le quartier Centre-sud, dont il sera plus spécifiquement question en cours d'analyse, se situant sur l'axe horizontal, à l'est du centre-ville.

5.2 Indications sur Sherbrooke

La population de la ville de Sherbrooke dépasse, en 1971, les 80 000 habitants et celle de l'agglomération est d'environ 120 000. Sherbrooke est le centre de services ainsi que le pôle commercial et industriel de la région de l'Estrie. On y trouve les antennes d'une quinzaine de ministères, deux universités, cinq hôpitaux, quelques artères commerciales et plusieurs centres commerciaux, et des milliers d'emplois manufacturiers, notamment dans les secteurs des textiles, des aliments – boissons et des machineries. En 1971, l'agglomération de Sherbrooke compte 66% de tous les emplois tertiaires et 43,2% de tous les emplois manufacturiers de la région (O.P.D.Q., 1977 et 1978); près des trois quarts de la population active de la ville travaillent dans le secteur tertiaire (72,6%) et un peu plus du quart dans le secteur secondaire (26,6%). Le maire O'Bready, qui a présidé à l'intervention municipale dans le centre ancien, avait été élu en 1974, puis en 1978. Il fut cependant battu aux élections d'automne 1982.

Sherbrooke, ville-centre d'une agglomération en expansion comprend quatre principaux secteurs: le centre-ville avec son pôle commercial et de services (rues King et Wellington), son quartier historique (le Vieux Nord) et son enclave résidentielle pour les couches populaires, le quartier Centre-sud , dont il sera plus particulièrement question dans le cadre de cet ouvrage; le quartier Est, occupé par des ouvriers et des employés; le quartier Ouest qui regroupe ouvriers, employés et techniciens; et enfin, le quartier Nord, le «beau quartier», abritant les professionnels et les cadres (Boisvert, 1979).

5.3 Indications sur Grenoble

La population de la ville de Grenoble se chiffre, en 1968, à plus de 160 000 habitants et celle de l'agglomération à environ 300 000. La population de la France se chiffre alors autour de 50 millions d'habitants. Grenoble est la ville-centre du Dauphiné. On y retrouve d'importantes implantations industrielles traditionnelles (textile, alimentation, mécanique...), mais aussi de haute technologie (construction électrique), plusieurs institutions universitaires et centres de recherche ainsi que la préfecture du département de l'Isère. Le profil socio-professionnel des résidants de la ville est marqué (en 1975) par une forte proportion d'ouvriers (33%) et d'employés (22%), mais aussi par un fort pourcentage de cadres moyens et supérieurs et de professionnels (30 %). Le maire Dubedout sous la gestion duquel fut mise de l'avant l'intervention municipale sur le quartier Berriat, avait été élu pour la première fois en 1965, à la tête d'une liste G.A.M. – S.F.I.O. – P.S.U.[8]. Au début des années 1970, il est réélu, de même qu'en 1977, à la tête, cette dernière fois, d'une liste d'Union de la Gauche, P.S.F. – P.C.F.[9]. Cependant, aux élections du printemps 1983, il était battu par une liste de droite.

Grenoble, centre d'une agglomération coincée entre d'importants massifs, se divise en trois grands secteurs: le secteur de la Vieille Ville avec une très forte représentation ouvrière, notamment dans le quartier Berriat, notre quartier d'étude, le secteur Médian, celui des «grands boulevards», avec une forte représentation des couches moyennes et quelques zones ouvrières; enfin, le secteur Sud à forte concentration ouvrière, à l'exception du quartier de La Villeneuve où une très grande proportion des résidants est composée de couches moyennes et de cadres. Les travailleurs étrangers se trouvent répartis, en grande majorité, dans les secteurs Vieille Ville et Sud (Joly, 1978).

---

8. G.A.M.: Groupe d'action municipale, mouvement de centre-gauche formé à la veille des élections municipales de 1965. S.F.I.O.: Section française de l'internationale ouvrière, «prédécesseur» du Parti socialiste français (P.S.F.). P.S.U.: Partie socialiste unifié, auto-gestionnaire.
9. P.C.F.: Parti communiste français.

Chapitre 2

L'INTERVENTION MUNICIPALE DANS LE QUARTIER CENTRE-SUD À MONTRÉAL

Le quartier Centre-sud est un très vieux quartier de Montréal. Plus de la moitié des logements existant au début des années 1970 y furent construits avant 1900, comparativement à moins du tiers pour l'ensemble des logements de la ville.

Le quartier est limité au sud par le fleuve Saint-Laurent, au nord par le talus de la rue Sherbrooke, une des principales artères de Montréal, à l'est par la voie ferrée du Canadien Pacifique et à l'ouest par la rue Saint-Denis[1]. Il se situe à la périphérie-est du centre-ville. Il comprend en 1971, 18 780 logements occupés (sur les 394 590 que compte la ville, soit 4.8%) et 54 690 résidants (sur les 1 214 355 habitants de Montréal, soit 4,5%).

Important foyer d'activités depuis la fin du XIXe siècle avec le regroupement, à l'ouest, d'établissements institutionnels dont certains quitteront toutefois le quartier au cours du XXe siècle, et la concentration, au sud et à l'est, d'installations portuaires et d'implantations industrielles qui s'y sont maintenues, ce quartier présente, depuis le début des années 1950, des signes de déclin: population à la baisse, vieillissante, peu instruite et à faible revenu; industries traditionnelles vétustes et en perte de vitesse; forte proportion de logements détériorés.

Le quartier Centre-sud sera la cible, à compter de la fin des années 1950, d'actions publiques et privées visant son redéveloppement, avant d'être l'objet, dans les années 1970, d'interventions municipales visant, par la réhabilitation des vieux logements et d'autres types de mesures, la conservation de sa fonction résidentielle.

---

1. Il n'y a pas de consensus sur cette limite ouest du quartier. Certains la fixent à la rue Amherst, d'autres à la rue Saint-Denis, enfin d'autres à la rue Saint-Laurent. Lorsque nous ferons référence à des données qui prennent en compte une autre frontière que la rue Saint- Denis, nous le préciserons.

1. LA VILLE ET LE QUARTIER: ENJEUX LOCAUX ET STRATÉGIES MUNICIPALES

Les interventions favorisant le redéveloppement du quartier Centre-sud seront intimement liées à l'expansion du centre-ville, alors que l'action municipale visant la conservation de la fonction résidentielle de ce quartier, bien que non étrangère à cette question du centre-ville, répondra également à d'autres enjeux relatifs, plus particulièrement au déclin de la ville de Montréal dans son ensemble et à une demande de logements provenant de couches sociales différentes.

1.1 L'essor du centre-ville et le redéveloppement du quartier Centre-sud

Étant donné sa position par rapport au centre-ville de Montréal, le quartier Centre-sud constitue à la fois un lieu de passage pour y accéder et un espace de prolongement de celui-ci. Il retiendra, à partir des années 1950, l'attention de certains promoteurs privés et des trois paliers de gouvernement.

1.1.1 *Le développement du centre-ville et le réaménagement du quartier Centre-sud*

Le territoire du centre-ville, tel que défini en 1964 par le Service d'urbanisme de la Ville de Montréal (Montréal, 1964), correspond aux limites suivantes: la rue Guy à l'ouest, l'avenue des Pins au nord, la rue Saint-Denis à l'est et le fleuve Saint-Laurent au sud. Mais il n'y a à l'époque que la partie ouest de ce quadrilatère qui est effectivement développée. Ce développement a débuté vers la fin des années 1950 pour s'accélérer au cours des années 1960; mentionnons, notamment, la construction, en 1958, de l'hôtel Reine-Elisabeth appartenant à la compagnie de chemin de fer du Canadien National puis l'édification, en 1960, du siège social de cette Société d'État; l'érection, en 1962, de la tour cruciforme de la Place Ville-Marie (siège social, entre autres, de la Banque Royale du Canada) accompagnée de celle des gratte-ciel de la Canadian Industries Ltd et de la Banque Canadienne Impériale de Commerce; puis l'addition, en 1965, au complexe de la Place Ville-Marie, des édifices Esso et IBM; et le parachèvement, en 1967, de la Place Bonaventure. Ces édifices, à l'exception du dernier situé plus au sud, sont construits sur l'axe du boulevard Dorchester.

Or, ce boulevard avait été élargi par la municipalité dès 1955, en prévision de cette reconquête du centre-ville. La municipalité avait ainsi préparé le terrain pour les promoteurs en aménageant une artère de prestige qui répondrait aux problèmes de circulation engendrés par ce type de développement. En 1974, par exemple, 15 000 personnes travailleront au complexe de la Place Ville-Marie et le nombre des passants y sera estimé de 60 000 à 100 000 quotidiennement; à cela s'ajouteront les livraisons par voitures et camions (Marsan, 1974, p. 344).

Mais le seul élargissement de ce boulevard ne suffisait pas en endiguer le flot de circulation au centre-ville. En 1966, la Ville de Montréal inaugurait son réseau de métro dont les premiers tronçons desserviront principalement le centre-ville. Et, en 1968, débutaient les travaux de construction de l'autoroute est-ouest (ou Ville-Marie) qui devait permettre l'accès rapide des automobilistes au centre-ville. Ce dernier projet, d'abord conçu au niveau municipal, avait été repris par le gouvernement du Québec qui en confia la mise en œuvre au ministère des Transports.

Le projet d'élargissement du boulevard Dorchester ne concernait pas que le territoire du futur centre-ville mais aussi celui du quartier Centre-sud. Il s'agissait, pour la Ville, de libérer des terrains pour d'éventuels investisseurs immobiliers, de faciliter l'accès au futur centre-ville et de favoriser l'extension, à terme, du centre-ville vers l'est. Ce réaménagement du boulevard Dorchester occasionna dans le quartier Centre-sud, la destruction de 750 logements. En 1964-1966, la municipalité procédait également au réaménagement des abords du pont Jacques-Cartier en collaboration avec le gouvernement du Québec, réaménagement qui impliquera cette fois la démolition de 170 logements. Ce pont sera le plus important moyen d'accès, outre le métro, aux îles de l'Exposition universelle de 1967, un des projets de grandeur du maire, visant à «mettre Montréal sur la carte du monde» et ainsi à revaloriser le rôle international de Montréal au profit, entre autres, des grands promoteurs immobiliers et de l'industrie du tourisme. Les taudis qui ne seront pas démolis seront masqués, aux yeux des visiteurs empruntant ce pont, par de grands panneaux...

Quant au réseau de métro inauguré en 1966, il desservira également, dans sa première phase, le quartier Centre-sud: quatre stations y seront construites. Les travaux d'aménagement du métro provoqueront, dans le quartier, la démolition de 60 logements; de plus, il y aura augmentation de valeur des terrains avoisinant les stations. Enfin, l'autoroute est-ouest dont les travaux débuteront en 1968, entaillera le quartier Centre-sud, dans sa partie sud, y détruisant 150 logements.

1.1.2 *L'extension du centre-ville et la rénovation du quartier Centre-sud*

La concentration du développement du centre des affaires (C.D.A.) à l'ouest du quadrilatère défini par le Service d'urbanisme de la Ville de Montréal donne au centre-ville une image anglophone alors que Montréal est majoritairement francophone. De plus, la rente produite par cette concentration à l'ouest du C.D.A. ne profite pas aux commerçants et promoteurs francophones, présents plutôt dans l'est, lesquels regroupés au sein de la Société de renouvellement de l'est de Montréal (S.R.E.M.), se feront les instigateurs, du côté du secteur privé, de l'extension du centre-ville vers l'est. La S.R.E.M. comptera parmi ses principaux dirigeants, le propriétaire de Dupuis et Frères, le seul grand magasin situé à l'est du centre-ville et dont les intérêts pâtissent d'une concentration du C.D.A. dans l'ouest. Cette société qui «a ses entrées chez les trois niveaux de gouvernement et jouit de certains privilèges» (Léonard, 1973, p. 127) fera pression sur les autorités publiques afin qu'elles appuyent ce prolongement du centre-ville vers l'est. Elle ne réalisera aucun projet elle-même, mais créera des sociétés distinctes qui mettront en œuvre des projets de redéveloppement dans le quartier Centre-sud, notamment près des stations de métro: par exemple, dans la première moitié des années 1960, agrandissement du stationnement du magasin Dupuis et Frères sur lequel s'érigera plus tard l'Hôtel Holiday Inn (150 logements seront alors démolis) et construction de la Résidence Dupuis (212 appartements) et de la Place Frontenac (500 appartements) financée avec l'aide de la Société centrale d'hypothèques et de logement. Il importe de noter que déjà en 1951, des hommes d'affaires francophones, regroupés en association, réclamaient des paliers supérieurs de gouvernement un projet important pour revaloriser l'est du centre-ville. Et ce projet, ils l'auront.

En effet, seront entrepris en 1963, dans le quartier Centre-sud, les travaux préliminaires à la construction de la Maison de Radio-Canada. Ce sera une opération de rénovation urbaine d'envergure: 778 logements détruits, 5000 résidants évincés, de même que 12 épiceries, 13 restaurants, 8 garages, 20 usines et 4 imprimeries (usines et imprimeries employant au total 830 travailleurs) rasés. Le sud-ouest du quartier sera alors complètement transformé. L'îlot des Voltigeurs du faubourg Québec qui avait été exproprié par la Ville, laissera place à la première tour (25 étages) située à l'est du centre-ville (La Maison du Fier Monde, 1982, p. 25). Cet édifice sera érigé le long du boulevard Dorchester qui avait été élargi à la fin des années 1950 par la Ville. Ainsi, le gouvernement fédéral contribuera, avec l'appui de la municipalité, au prolongement du centre-ville vers l'est. Le maire Drapeau avait, comme les hommes d'affaires de l'est, réclamé ce projet qui devait faire partie de sa Cité des Ondes, mais cette cité devait se situer un peu moins à l'est, sur l'emplacement des actuelles Habitations Jeanne-Mance, à l'extérieur de la limite ouest du quartier Centre-sud.

Le gouvernement québécois ne sera pas non plus sans se manifester. Il participera également à la création d'un centre-ville francophone dans l'est de Montréal et, ainsi, au redéveloppement du quartier Centre-sud. Il y fera construire à la fin des années 1960 et au cours des années 1970, l'édifice du

LE QUARTIER CENTRE-SUD À MONTRÉAL: LOGEMENTS ANCIENS, TOURS D'HABITATION ET ÉDIFICES À BUREAUX

PHOTO 1

PHOTO 2

CARTE 1

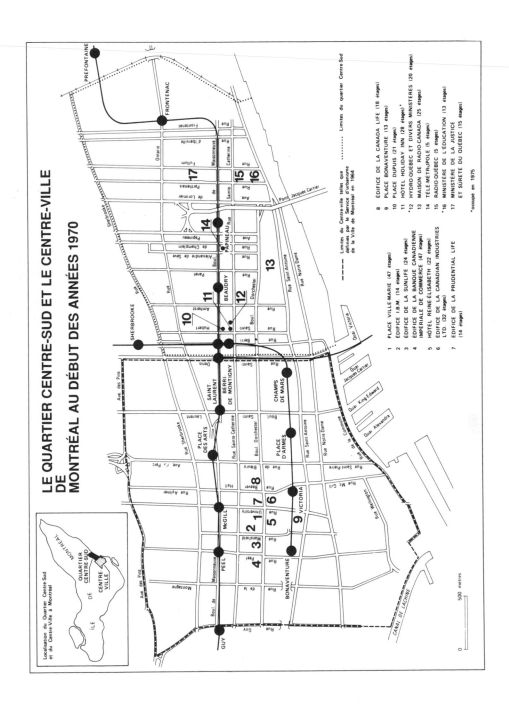

LE QUARTIER CENTRE-SUD ET LE CENTRE-VILLE DE MONTRÉAL AU DÉBUT DES ANNÉES 1970

Localisation du Quartier Centre-Sud et du Centre-Ville à Montréal

1 PLACE VILLE-MARIE (47 étages)
2 ÉDIFICE I.B.M. (14 étages)
3 ÉDIFICE DE LA SUNLIFE (24 étages)
4 ÉDIFICE DE LA BANQUE CANADIENNE IMPÉRIALE DE COMMERCE (47 étages)
5 HÔTEL REINE-ÉLISABETH (22 étages)
6 ÉDIFICE DE LA CANADIAN INDUSTRIES LTD. (32 étages)
7 ÉDIFICE DE LA PRUDENTIAL LIFE (14 étages)
8 ÉDIFICE DE LA CANADA LIFE (18 étages)
9 PLACE BONAVENTURE (13 étages)
10 PLACE DUPUIS (21 étages)
11 HÔTEL HOLIDAY INN (28 étages)*
*12 HYDRO-QUÉBEC ET DIVERS MINISTÈRES (20 étages)
13 MAISON DE RADIO-CANADA (25 étages)
14 TÉLÉ-MÉTROPOLE (5 étages)
15 RADIO-QUÉBEC (5 étages)
*16 MINISTÈRE DE L'ÉDUCATION (13 étages)
17 MINISTÈRE DE LA JUSTICE ET SÛRETÉ DU QUÉBEC (15 étages)

*occupé en 1975

- - - Limites du Centre-ville telles que définies par le Service d'urbanisme de la Ville de Montréal en 1964

.... Limites du quartier Centre-Sud

ministère de la Justice et de la Sûreté du Québec, l'immeuble de Radio-Québec et le nouveau campus de l'Université du Québec à Montréal (100 logements seront détruits à cette dernière fin). Le quartier verra également s'implanter l'édifice du ministère de l'Éducation.

Une nouvelle fonction, le tertiaire public francophone, s'implante donc dans le quartier Centre-sud, faisant contre-poids, quoique encore faiblement, au tertiaire privé anglophone de l'ouest de la ville. Une autre caractéristique de cette nouvelle vocation tertiaire du quartier est qu'elle s'oriente, en grande partie, vers les communications. En effet, en plus de Radio-Canada et de Radio-Québec qui sont des composantes de ce tertiaire public francophone, on y trouvera, entre autres, du côté du secteur privé, Télé-Métropole qui occupera de plus en plus d'espace (un édifice de 5 étages d'abord, puis un autre de 11 étages, ...), la station de radio CJMS et le Studio de son Québec.

D'ailleurs, la Ville de Montréal qui favorise l'extension du centre-ville vers l'est pour y créer un pôle francophone, projettera, avec certains promoteurs immobiliers, le réaménagement de la rue Panet, reliant la Maison de Radio-Canada au grand parc Lafontaine, en une avenue de prestige qui aurait eu pour nom l'Allée des Ondes. Cette allée aurait constitué pour les concepteurs du projet, les Champs Élysées de Montréal. Le projet de Cité des Ondes du maire Drapeau se déplaçait ainsi un peu plus vers l'est car intimement lié à la Maison de Radio-Canada. Toutefois, le projet de l'Allée des Ondes ne sera pas réalisé. Pour élargir la rue Panet, on devait y démolir les maisons existantes. Ces dernières auraient été remplacées par des édifices à appartements de cinq à huit étages et des boutiques de luxe. Seuls les arbres de cette rue seront finalement rasés... À l'opération de rénovation urbaine prévue se substituera, au cours des années 1970, un programme d'amélioration de quartier. La municipalité sera amenée à prendre en compte d'autres enjeux que le prestige, apparemment rentable pour les hommes d'affaires.

1.2 Le «déclin» de Montréal et du quartier Centre-sud

Montréal connaît, à la fin des années 1960, une diminution de population, notamment parmi les couches sociales les plus solvables, qui se poursuivra au cours des années 1970. Ce phénomène aura des effets sur l'assiette fiscale de la municipalité et sur son rapport de force avec les municipalités de banlieue membres de la Communauté urbaine de Montréal. La ville accuse également, durant cette période, un ralentissement de ses activités économiques, ce qui n'est pas sans inquiéter certains hommes d'affaires qui commencent à douter de la politique de grandeur du maire Drapeau.

De 1966 à 1971, la population de l'île de Montréal augmente de 2,1% mais celle de la ville diminue de 6,2%. De 1971 à 1976, l'île de Montréal accuse également une baisse de population, de 4,6%, mais la diminution de population de la ville s'accentue, atteignant 11,1%. Par contre, les banlieues de la Rive-Nord et de la Rive-Sud se développent rapidement, drainant les jeunes familles des couches moyennes: de 1971 à 1976, la population de la couronne suburbaine augmente de 20,5% (O.P.Q.D., 1979a).

Les jeunes et les mieux nantis quittant, Montréal voit sa population vieillir et s'appauvrir. En 1976, les résidants de moins de 15 ans représentent 18,3% de la population totale de la ville, contre 26,0% en 1966, et les plus de 65 ans constituent 10,9% de la population totale de la ville, contre 7,3% en 1966 (Roy, 1978, p. 83). En 1976 toujours, le revenu individuel moyen de la population de la ville de Montréal est inférieur de 6% à celui de l'ensemble des villes de la région métropolitaine (O.P.D.Q., 1979b); de 1971 à 1977, le nombre d'assistés sociaux à Montréal augmente de 18,3% (Roy, 1978, p. 84).

Le dépeuplement de Montréal et l'appauvrissement de sa population ont des incidences sur le Trésor municipal. De 1970 à 1980, la dette obligatoire directe per capita augmente de 201%. De plus, les dépenses de la Ville se sont accrues de 220% (Boyer, 1986). Cette hausse des dépenses est en partie due au fait que la Ville de Montréal fournit des services aux banlieusards qui viennent travailler sur son territoire ou s'y récréer. Or, ces derniers ne lui payent pas directement d'impôt foncier. Jean-Pierre Collin (1981) démontre qu'au cours des années 1970, les «navetteurs» ont généré pour la Ville de Montréal d'autres types de revenus qui sont venus couvrir les dépenses de fonctionnement que leur présence a occasionnées, revenus qui ont toutefois été insuffisants pour couvrir également les dépenses liées au service de la dette, imputables à leur présence sur le territoire de Montréal. Il conclut «que la croissance démographique de la banlieue, couplée avec la dépopulation de la ville de Montréal, entraîne un accroissement substentiel du déficit budgétaire de Montréal» (p. 117).

La décroissance de la population de Montréal a aussi des incidences sur le rapport de forces de la Ville avec les autres municipalités membres de la Communauté urbaine de Montréal (C.U.M.). Montréal, dans la seconde tranche des années 1970, continue à dominer le comité exécutif de la C.U.M. bien que son poids démographique le justifie de moins en moins. En 1978, la diminution de la population de la ville atteint un seuil critique: «Pour la première fois depuis 28 ans, la population de Montréal tombe en dessous du million», tel est le titre d'un article du journal *La Presse*[2]. En effet, une enquête de la Commission de transport de la Communauté urbaine de Montréal estime

---

2. *La Presse*, Montréal, Samedi 10 novembre 1979, p. A10.

alors à 996 666 le nombre de résidants permanents de la ville. Montréal ne compte que 85 000 résidants de plus que les municipalités périphériques membres de la C.U.M.. Déjà, les maires de ces municipalités revendiquent plus de pouvoir par rapport à Montréal au sein de cette Communauté. Cette nouvelle situation démographique est donc susceptible d'avoir des répercussions sur la structure politique de la C.U.M.. En effet, son comité exécutif comprend sept représentants de Montréal contre cinq des banlieues. Les maires de ces dernières, regroupés au sein de la Conférence des maires de banlieue, réclament la parité des sièges à ce comité. Le maire de Montréal s'y oppose farouchement. Or, le rapport démographique est moins à l'avantage de Montréal qu'il ne l'était en 1969 quand la C.U.M. fut créée. Et malgré le fait qu'au début des années 1980, le poids démographique de la ville de Montréal demeure toujours plus important que celui des autres municipalités de l'île de Montréal[3], le gouvernement québécois donnera suite à la demande de ces dernières en établissant la parité des sièges au comité exécutif de la C.U.M.. Le dépeuplement de Montréal représente donc également pour la Ville, au cours des années 1970, un enjeu politico-institutionnel.

Le déclin de Montréal n'a pas que des incidences sur la position de la ville par rapport aux autres municipalités de la C.U.M.. La baisse de population a relégué Montréal derrière Toronto comme ville la plus importante du Canada. Au point de vue économique, la prépondérance de Toronto s'était déjà fait sentir au cours des années 1940, dans le secteur financier, et au cours des années 1960, dans le secteur manufacturier (Léveillée *et al.*, 1985, p. 8). Montréal accuse, de 1961 à 1976, une perte nette de 950 entreprises manufacturières correspondant à quelque 11 500 emplois (Piché, 1983, p. 36). Selon plusieurs économistes, Montréal «ne réussit pas à assumer pleinement son rôle de pôle de développement de l'économie québécoise» (Thellier, 1981). Montréal subit la concurrence de Toronto, mais aussi celle de New York, Détroit, Chicago... «Montréal est menacée de voir son statut de «grande ville» qu'elle avait il y a quelques années, passer à celui de simple «grosse ville» à fonction régionale» (Martin, 1979, p. 1).

Les milieux d'affaires montréalais sont inquiets, comme en témoigne un éditorial du journal *La Presse* qui souligne que les «hommes d'affaires se rendent compte que les sièges sociaux déménagent, que le tourisme ne s'accroît pas, que leur maire ne peut tout faire et que la facture est malgré tout de plus en plus élevée» (Dubuc, 1980, p. A4).

---

3. Le recensement fédéral de 1981 révèle en effet que la population de la ville de Montréal représente 55,7% de la population totale de l'île de Montréal. Par contre, en 1976, la population de la ville constituait 57,8% de la population totale de l'île.

Ces hommes d'affaires regroupés en différentes associations ne resteront pas passifs face à cette situation (Léveillée, 1983). Ils organiseront des rencontres publiques, des conférences de presse, des congrès et des campagnes publicitaires visant à mettre en valeur les atouts économiques de Montréal. Ils feront également pression sur les trois niveaux de gouvernement afin qu'ils interviennent pour insuffler un nouveau dynamisme à l'économie montréalaise. La Chambre de commerce de Montréal mettra sur pied différents groupes de travail qui se pencheront sur les problèmes économiques de la ville. Elle créera également, de concert avec le Montreal Board of Trade, le Comité de promotion économique de Montréal (C.O.P.E.M.). Le déclin de Montréal représente donc également un enjeu économique pour les milieux d'affaires auquel la municipalité ne sera pas indifférente.

Le déclin de Montréal se manifeste particulièrement dans les vieux quartiers périphériques au centre-ville. De 1966 à 1971, le quartier Saint-Henri perd 25% de sa population, le quartier Saint-Louis, 10,8% et le quartier Pointe-Saint-Charles, 12,2%. Ce dépeuplement se poursuit, de façon plus marquée, de 1971 à 1976: perte de 26,9% de sa population pour le quartier Saint-Henri, de 15,2% pour le quartier Saint-Louis et de 18,7% pour le quartier Pointe-Saint-Charles[4]. De plus, en 1971, 39,3% des familles de Saint-Henri ont un revenu inférieur à 5000$, de même que 40,7% des familles de Saint-Louis et 37% des familles de Pointe-Saint-Charles (ce taux étant de 24% pour l'ensemble de la ville) (Lefebvre, 1979, pp. 341 et 343).

Quant au quartier Centre-sud, il perd, de 1966 à 1971, 18% de sa population (passant de 66 920 à 54 690 habitants), alors que la baisse de population de Montréal est de 6,1% (de 1293 992 à 1214 355 habitants). Ce dépeuplement s'accentue de 1971 à 1976: baisse de population de 22,7% pour le quartier et de 11,1% pour l'ensemble de la ville. De plus, paupérisation, vieillissement et affaiblissement économique caractérisent le quartier encore plus que la ville: en 1971, 41,3% des familles habitant Centre-sud ont un revenu inférieur à 5000$, alors que ce taux est de 24% pour Montréal et 6% seulement des logements du quartier sont occupés par leur propriétaire alors que ce taux est de 19,1% pour l'ensemble de la ville; en 1971 toujours, 10,9% de la population du quartier a 65 ans et plus, alors que ce taux est de 7,6% pour l'ensemble de la ville; enfin, de 1966 à 1972, 43 usines employant un total de 2781 ouvriers ferment leurs portes dans le quartier[5]. En vue de contrer la décroissance de Montréal tant sur le plan démographique que sur le plan écono-

---

4. Il s'agit des quartiers correspondant aux territoires des Centres locaux de services communautaires (C.L.S.C.).
5. A. Savard (1975), pp. 7, 87, 104, 105 et 106, et compilations à partir des données de Statistique Canada, recensements de 1971 et 1976.

CARTE 2

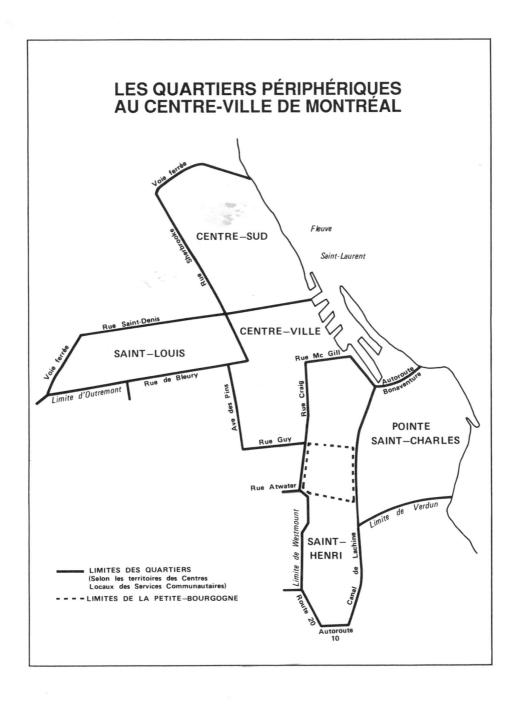

LES QUARTIERS PÉRIPHÉRIQUES
AU CENTRE-VILLE DE MONTRÉAL

mique, la municipalité devra donc prendre en compte ce déclin des vieux quartiers et notamment celui du quartier Centre-sud.

1.3 Le logement à Montréal et dans le quartier Centre-sud

Même si la population de la ville diminue au cours des années 1970, le nombre de ménages augmente et la demande de logements est à la hausse. De plus, dans les vieux quartiers ceinturant le centre-ville, comme le quartier Centre-sud, la demande de logements sociaux est importante et une demande d'un autre type se fait jour: celle de certains ménages appartenant aux nouvelles couches moyennes.

La Ville de Montréal a perdu, de 1971 à 1976, 11,1% de sa population, mais elle n'en a pas moins vu le nombre de ses ménages augmenter de 2,8%. Le taux d'accroissement du nombre de ménages baisse à 1% de 1976 à 1981, alors que la décroissance de la population de la ville accuse un léger ralentissement, son taux se situant à -9,3%. La hausse du nombre des ménages s'explique par la prolifération des ménages non-familiaux et familiaux de petite taille: célibataires, individus séparés ou divorcés, personnes âgées visant seules, couples sans enfant, familles monoparentales. Pour ces ménages, le bungalow de banlieue axé sur la vie familiale présente certes moins d'attrait.

Par ailleurs, les coûts d'accès au logement neuf vont augmenter. En 1971, 35% des ménages locataires au Québec pouvaient devenir propriétaires d'un logement neuf sans y consacrer plus de 30% de leur revenu. En 1983, 15% seulement des ménages locataires pourront accéder à la propriété d'un logement neuf sans que leur taux d'effort ne dépasse 30%, la proportion des ménages locataires de ce type ayant même descendu jusqu'à 9% en 1981 (Québec, 1984, pp. 47 et 174). De plus, il y aura également diminution de l'accessibilité au logement neuf en location. En 1971, 58% des ménages locataires pouvaient louer un logement neuf sans que leur taux d'effort ne dépasse 30%, alors qu'en 1983 ce pourcentage descendra à 42% (*Ibid.*, p. 47). Le livre vert sur l'habitation, *Se loger au Québec*, publié en 1984, conclut que:

> L'accessibilité au logement neuf s'est donc relativement détériorée au cours de la décennie soixante-dix, une moins grande proportion des ménages pouvant y accéder, notamment la clientèle locataire qui globalement s'est appauvrie par rapport à la clientèle propriétaire. (*Ibid.*, p. 47)

L'augmentation du nombre de ménages et les problèmes d'accessibilité au logement neuf vont alors se traduire par une plus forte pression sur le stock de logements des vieux quartiers centraux. Ce stock de logements existants, en plus d'être accessible à un prix raisonnable, présente, pour certaines fractions des couches moyennes, un double attrait: attrait symbolique des quartiers anciens et attrait fonctionnel lié à la proximité des emplois offerts au centre[6]. Deux études menées en 1984-1985 (Choko *et al.*, 1985; Dagenais *et al.*, 1984) confirment que l'attrait général du quartier et la proximité du lieu de travail sont les principaux facteurs orientant l'établissement des nouveaux arrivants dans les vieux quartiers ceinturant le centre-ville de Montréal, dont Centre-sud.

Le vieux stock de logements subit également la pression des ménages à faible revenu résidant dans les vieux quartiers, notamment dans Centre-sud, pour qui l'offre de H.L.M. est insuffisante. La production moyenne de H.L.M. à Montréal, dans le courant des années 1970, est de l'ordre de 600 logements par année. Or, en 1979, plus de 7000 demandes de H.L.M. étaient encore insatisfaites (Lefebvre, 1979, p. 239) et ce, sans compter les ménages qui, bien que mal logés, ne s'étaient pas inscrits sur la liste d'attente parce qu'ils ne croyaient pas à leur chance d'accéder à un H.L.M. ou qu'ils ne voulaient pas habiter ce type de logement aussi marqué socialement. Pouvant difficilement se tourner vers le logement neuf, les ménages à faible revenu doivent donc se contenter, pour une grande part, du vieux stock de logements.

Le stock de vieux logements convoité par certaines fractions des couches moyennes et par les ménages appartenant aux couches populaires accuse cependant une forte diminution. En effet, de 1957 à 1974, il y eut sur le territoire de la ville de Montréal, plus de 28 000 logements démolis pour une moyenne annuelle de 1578 logements détruits, la période de 1970 à 1974 étant la plus touchée avec une moyenne annuelle de 2860 logements rasés (Carreau, 1975). Le taux de vacance des logements[7] pour la région métropolitaine de recensement passe de 7,2% en 1971 à 0,9% en 1975. Le bilan des constructions – démolitions de 1957 à 1974, calculé pour dix vieux quartiers administratifs de Montréal, dont quatre sont inclus à l'intérieur du territoire de Centre-sud, est négatif: -0,2% (*Ibid.*). De plus, ce vieux stock de logements se détériore. En effet, le Service d'urbanisme de la Ville de Montréal évaluait, au début des années 1970, qu'environ 100 000 logements (soit 25% du parc total de logements) n'étaient pas conformes au Code du logement (Divay et Matthew, 1981, p. 63). Le Groupe de travail sur l'habitation évaluera, en 1976, à 120 000 le nombre de logements nécessitant des travaux de restauration sur le territoire de la ville de Montréal. Le manque d'entretien plus que l'âge des logements, explique cette dégradation du vieux stock. Lorsqu'occu-

---

6. Avec l'augmentation du coût de l'énergie et la congestion des principales voies d'accès au centre-ville aux heures de pointe, les aller-retour banlieue – centre-ville de Montréal se font de plus en plus consommateurs d'argent et de temps.

7. Il s'agit du taux d'inoccupation des immeubles de six logements et plus calculé par la Société centrale d'hypothèques et de logement (S.C.H.L.).

pés par des locataires captifs et peu solvables, l'entretien des vieux logements apparaît peu rentable à certains propriétaires bailleurs. Quant aux propriétaires occupants qui seront souvent âgés, ils n'auront, pour certains, ni les moyens, ni l'énergie nécessaires pour entreprendre des travaux de restauration. Les ménages à faibles revenus sont donc confrontés à un vieux stock de logements dont le volume diminue et qui se détériore. De plus, ces logements intéressent également certains ménages à revenus plus élevés qui ont assez de moyens soit pour les améliorer s'ils en deviennent propriétaires-occupants, soit pour en rentabiliser l'amélioration s'ils en deviennent locataires.

De nombreux comités de citoyens seront alors mis sur pied, au cours des années 1970, dans le quartier Centre-sud. Ils seront financés par des organismes religieux ou charitables et le gouvernement fédéral. Face à l'importance des démolitions qui ont accompagné les projets privés et publics de redéveloppement du quartier, face aussi à la détérioration du stock de logements du quartier et, enfin, devant la menace d'éviction que représente l'arrivée de nouveaux résidants mieux nantis, ces comités revendiqueront la conservation et la restauration du parc résidentiel de Centre-sud au bénéfice des couches populaires habitant le quartier ainsi que la construction de H.L.M. pour les ménages à faibles revenus du quartier.

En 1971, à l'intérieur du Comité social de Centre-sud, organisme d'entraide pour les citoyens du quartier, on lance l'Opération Grand Ménage. L'objectif visé: freiner la détérioration du quartier. On aide les citoyens à faire des travaux de réparation à leur logement. Mais les participants à l'opération se rendent vite compte des limites de leurs actions: il ne suffit pas d'embellir les taudis, il faut aussi intervenir sur les facteurs de taudification. Est alors créé, à la fin de 1971, le comité Action – rénovation. Ce Comité agit comme groupe de service mais également comme groupe de pression. Il s'occupe de plaintes concernant les mauvaises conditions de logement dans le quartier et travaille à constituer une banque de logements; de même, il revendique l'application du Code du logement et la construction de H.L.M. Il cherche aussi à conscientiser les résidants aux problèmes du quartier et à les mobiliser par des luttes.

En 1972, le journal *Le va vite*, diffusé à 10 000 exemplaires par la Maison du quartier, autre organisme populaire offrant divers services aux résidants de Centre-sud, titre à la une de son numéro d'octobre: «Un enterrement de quartier» (vol. 1, no 11, 11 octobre 1972). Ce n'est pas seulement la piètre situation du logement dans le quartier qui inquiète l'organisme, mais également la survie même de Centre-sud comme quartier populaire.

En 1975, un nouveau groupe se forme: le Comité logement Centre-sud. Il se donne comme objectifs de sensibiliser la population du quartier aux questions de logement et d'aménagement urbain et de la mobiliser à cet effet.

Il vise à freiner la détérioration du quartier et à lutter pour la préservation de sa vocation résidentielle. L'analyse du Comité logement est plus politique que celle des groupes précédents. Elle est articulée en termes de lutte des classes: «Il n'appartient pas à la classe ouvrière ni aux masses populaires de payer la crise du logement» (Breault, 1977, p. 300).

D'autres comités, préoccupés par les problèmes de logement et d'aménagement seront également mis sur pied dans Centre-sud. Il est difficile d'évaluer leurs assises au sein de la population du quartier mais ces comités bougent et font pression. Et leurs pressions s'ajoutent à celle des centaines de demandes individuelles de H.L.M. provenant du quartier.

La Ville de Montréal se trouve donc confrontée, au cours des années 1970, à une double demande qui a pour objet les quartiers anciens dont Centre-sud; d'une part, la demande de certaines fractions des couches moyennes, que la municipalité voudrait bien rapatrier de façon à améliorer son assiette fiscale et sa position socio-économique face aux municipalités de banlieue, d'autre part, la demande des couches populaires qui cherchent à mieux se loger, sinon à se loger tout simplement, et qui font face à la dégradation de leurs conditions de logement, à la sous-production de H.L.M. et aux menaces d'éviction que représentent les démolitions de même que la restauration résidentielle.

1.4 La revitalisation de la vieille ville et la réanimation du quartier Centre-sud: les stratégies municipales

Le déclin de Montréal et de ses vieux quartiers de même que les divers types de demande de logements dont font l'objet ces quartiers, conduiront la municipalité, au cours des années 1970, à intervenir dans les zones vieillies afin d'en favoriser la revitalisation. Le quartier Centre-sud, qui avait déjà fait l'objet d'interventions municipales dans les années 1950 et 1960, et dont la réanimation constitue toujours un enjeu pour certains hommes d'affaires francophones, sera un des territoires privilégiés de la nouvelle stratégie municipale. Divay et Gaudreau (1984) résument ainsi le projet politique territorial de la Ville de Montréal:

> obsession de la perte du statut de ville millionnaire et de l'érosion de la situation fiscale d'une métropole. D'où le plaidoyer pour le retour en ville ou du moins pour la diminution de l'exode vers la banlieue, et des mesures d'amélioration de l'aménagement dans certains vieux quartiers. Le développement de la partie est, francophone (...). (p. 67)

Ce projet politique territorial comprend deux grands moments: l'utilisation des programmes offerts par les niveaux supérieurs de gouvernement et la mise en place d'outils d'intervention propres à la Ville. Mais, déjà, dans les années 1960, le Conseil municipal de Montréal avait adopté des mesures visant la restauration des vieux logements.

1.4.1 *L'adoption de mesures visant la restauration des vieux logements*

En 1965, le Conseil municipal de la ville se dote, par le règlement no 3122, d'un Code du logement prescrivant les normes minimales d'habitabilité des bâtiments résidentiels situés sur le territoire de la municipalité[8]. L'année suivante par suite d'une modification apportée à la charte de la Ville par le gouvernement du Québec, le Conseil municipal adopte le règlement no 3292 instituant un programme de subventions à la restauration ayant pour but d'aider les propriétaires à rendre leur(s) logement(s) conforme(s) aux normes prescrites par le Code[9].

En 1969, le président du Comité exécutif de la Ville affirme que la municipalité, par ses subventions, compte contribuer à la restauration de 550 logements au cours de l'année[10]. En 1971, la Ville de Montréal propose un vaste programme de restauration devant toucher 100 000 logements en dix ans. Au cours de la même année, un Comité tripartite composé de représentants de la Ville, de la Société centrale d'hypothèques et de logement et du Département d'État chargé des affaires urbaines (gouvernement fédéral), ainsi que de la Société d'habitation du Québec (gouvernement provincial) recommande la participation financière des gouvernements supérieurs à l'expérience de restauration menée par la Ville de Montréal.

À cette époque, les gouvernements fédéral et provincial n'apportent de l'aide aux municipalités que dans le cadre des programmes de rénovation urbaine. La Ville de Montréal est en train d'en expérimenter un, celui de La Petite Bourgogne, à la périphérie ouest du centre-ville (voir la carte 2), et un certain nombre de problèmes font surface. La municipalité avait déblayé et aménagé des terrains qu'elle réservait aux constructeurs privés à qui les élus municipaux avaient lancé de nombreuses invitations, mais le secteur privé ne se manifestait pas; en fait, l'entreprise privée ne construisit aucun logement dans le cadre de ce programme de rénovation, jugeant sans doute plus rentable d'investir ailleurs. La municipalité restait donc avec des terrains vacants sur les bras. De plus, c'est un programme qui s'avère impopulaire puisqu'il

---

8. Ce code ne s'appliquera d'abord que sur deux quartiers de Montréal avant d'être en vigueur, à partir de 1969, sur l'ensemble du territoire de la ville.

9. La zone d'application de ce programme suit la zone d'application du Code du logement: d'abord limitée à deux quartiers, elle s'étend ensuite à toute la ville.

10. «3000 logements pour les familles à revenu modeste» in *La Presse*, Montréal, 18 janvier 1969, cité par R. Mayer (1976), p. 536.

chasse les résidants de leur logement. Le Service d'urbanisme avait prévu, en 1966, que La Petite Bourgogne abriterait, après la réalisation du programme, de 14 000 à 16 000 personnes, or la population du secteur ne cessa de décroître, passant de 14 000 personnes en 1966 à 7700 en 1977. Une bonne partie des occupants fut évincée par les démolitions et le stock de nouveaux logements fut moins important que prévu, constitué essentiellement de H.L.M., étant donné la non-participation de l'entreprise privée. La Ville doit alors faire face à l'opposition des comités de citoyens du secteur qui, après avoir appuyé, à l'origine, l'intervention municipale, dénoncent alors les nombreuses évictions qui s'en suivent (Piotte, 1970).

Ainsi la Ville n'est plus tellement intéressée par le volet démolition – reconstruction des programmes de rénovation urbaine et favorise l'adoption, par les gouvernements supérieurs, de programmes de restauration résidentielle qui viendraient appuyer le sien. En plus d'éviter le dépeuplement des quartiers qu'occasionne la rénovation urbaine, la restauration profite, via la taxe foncière, au Trésor municipal, par la hausse de l'évaluation des bâtiments qu'elle entraîne et ce, sans requérir au préalable d'importants investissements comme dans le cas de la rénovation urbaine (déblaiement et aménagement de terrains).

Dès son adoption, en 1967, la Loi de la Société d'habitation du Québec (S.H.Q.) prévoyait, dans le cadre du programme de rénovation urbaine, l'octroi de subventions à la restauration (art. 49 c.). Mais ce programme de restauration, connu sous le nom de programme S.H.Q. – Municipalités, ne fera l'objet d'une entente entre la S.H.Q. et la Ville de Montréal qu'en 1973. Montréal obtient alors que le règlement de la S.H.Q. soit modifié afin de permettre que l'aide financière du gouvernement provincial soit également accordée en dehors des zones de rénovation urbaine, c'est-à-dire sur tout le territoire de la ville, comme l'est l'aide municipale. C'est une autre illustration de l'importance du poids de Montréal dans les négociations entre les niveaux de gouvernement.

Quant au gouvernement fédéral, il suspend, en 1969, son programme de rénovation urbaine. Il y est incité par les coûts élevés qu'il engendre, les pressions émanant de municipalités, les nombreuses démolitions et les déplacements de population qu'occasionne ce programme et l'image anti-sociale qui y est ainsi accolée. Le programme de rénovation urbaine est définitivement aboli en 1973 alors que la Loi nationale sur l'habitation subit de substantielles modifications. De nouveaux programmes axés sur la revitalisation des quartiers et la restauration résidentielle sont mis sur pied: le programme d'amélioration de quartiers (P.A.Q.) qui a pour but «d'accroître l'agrément de certains quartiers et d'améliorer les conditions de vie et de logement de leurs résidants» (art. 27.1 (1)); le programme d'aide à la remise en état des logements (P.A.R.E.L.), programme d'aide à la réhabilitation de l'habitat ancien dont l'adoption fait suite aux négociations tripartites Montréal – Société centrale d'hypothèques et de logement – Société d'habitation du Québec et qui s'inspire du programme de restauration de la Ville de Montréal; enfin, le programme d'aide aux logements coopératifs et sans but lucratif visant, entre autres, à promouvoir l'achat – restauration de logements par des coopératives d'habitation.

Le gouvernement québécois amende alors, en juillet 1974, la Loi de la Société d'habitation du Québec, afin de permettre l'application, sur son territoire, du programme d'amélioration de quartier (P.A.Q.).

1.4.2 L'utilisation d'un programme fédéral – provincial: le P.A.Q. Terrasse-Ontario

En mai 1974, soit deux mois avant l'inclusion dans la Loi de la Société d'habitation du Québec, du programme d'amélioration de quartier (P.A.Q.), le Conseil municipal de la ville de Montréal approuve la mise en œuvre de ce programme sur une partie du territoire du quartier Centre-sud, le secteur Terrasse-Ontario. La municipalité compte, pour ce secteur, accélérer la restauration domiciliaire, construire de nouveaux logements, particulièrement des H.L.M., et améliorer les équipements afin de «raffermir la vocation résidentielle du quartier» (Montréal, mai 1974, p. 18). La municipalité avait, au début des années 1970, construit de nombreux H.L.M. et subventionné la restauration d'une importante quantité de logements dans la partie est du quartier[11]. Avec le P.A.Q. Terrasse-Ontario, c'est sur un secteur très proche du centre-ville qu'elle va concentrer son intervention.

Le secteur Terrasse-Ontario se situe entre le boulevard de Maisonneuve, la rue Sherbrooke, l'avenue Papineau et la rue Saint-Hubert, dans la partie nord-ouest du quartier Centre-sud dont il couvre environ le quart de la superficie (voir la carte 3). Il compte, en 1970, 5757 logements soit 31 % du nombre total des logements du quartier et comprend, en 1971, 14 300 résidants soit 26,1 % de la population totale de Centre-sud.

La première demande concernant le secteur Terrasse-Ontario et qui fut adressée par la Ville à la S.H.Q., remonte à la fin des années 1960 alors que le programme de rénovation urbaine est toujours en vigueur. La S.H.Q. ayant autorisé la préparation d'un projet, le Service de l'habitation de la Ville présente, en septembre 1970, sa proposition de réaménagement au Conseil municipal qui l'approuve. Cette proposition n'est pas étrangère aux interventions publiques et privées dont le quartier Centre-sud a été le théâtre au

---

11. Il s'agit du quartier administratif Sainte-Marie.

cours des années 1960. En effet, le rapport du Service de l'habitation se termine sur cette phrase:

> On peut donc pressentir qu'une intervention bien pensée, stratégiquement planifiée, sachant catalyser les phénomènes économiques qui à l'heure actuelle se manifestent aux alentours de ce territoire saura regagner à la Terrasse-Ontario les faveurs des investisseurs. (Montréal, 1970, p. 50)

Le programme détaillé de rénovation urbaine qui devait faire suite à cette proposition de réaménagement sera donc remplacé par un programme d'amélioration de quartier. Toutefois, le P.A.Q. Terrasse-Ontario tel qu'adopté par la Ville en 1974, ne sera pas approuvé par la Société d'habitation du Québec. Le territoire d'intervention est jugé trop vaste et les coûts inhérents trop élevés: le coût de la mise en œuvre du programme est estimé à 25 598 296$, 75% de ce montant devant être défrayé par les gouvernements fédéral et provincial, et 25% par la Ville (Montréal, 1974, p. 34). Le Service de l'habitation et de l'urbanisme produira alors, en février 1976, un nouveau document intitulé *Programme d'amélioration de quartier Terrasse-Ontario - 1re étape*: treize projets touchant autant d'îlots répartis çà et là sur le territoire du secteur y sont présentés comme la première phase de réalisation du programme de 1974[12]. La zone d'intervention se trouve réduite, de même que les coûts y afférant. Cette formule sera approuvée par la S.H.Q.

Les treize projets touchent des emplacements partiellement vacants par suite des nombreuses démolitions dont le secteur a été l'objet, mais également, et dans plusieurs cas par suite du grand nombre d'incendies qui y sont survenus. Ainsi, en novembre 1974, 185 familles de Terrasse-Ontario perdaient leur logement dans les incendies du «week-end rouge» alors que les pompiers étaient en grève. Une enquête officielle du Service des incendies (menée par la Commission Allison) concluait que sur les dix-sept foyers d'incendies de ce week-end, quatorze étaient d'origine criminelle et trois de source inconnue... Le «week-end rouge» fut certes un événement exceptionnel, mais les incendies ne constituent pas un phénomène nouveau dans le quartier Centre-sud. En 1973, par exemple, 289 incendies y avaient été dénombrés: les «chances pour un citoyen du Centre-sud, d'être la victime d'un incendie étaient deux fois plus élevées que pour le Montréalais moyen!» (Bernier, 1977, p. 137). Un incendie sur dix y prend naissance dans un bâtiment désaffecté: or, il y avait en 1975, 459 logements placardés dans le quartier (*Ibid.*, p. 137).

Quant aux prévisions des dépenses engagées pour cette première étape de mise en œuvre, elles sont de l'ordre de 3927 801$ comparativement

---

12. Le document présentant la deuxième étape paraîtra en 1981 (Montréal, 1981). Cette étape consistera en quinze projets qui seront réalisés, en grande partie, dans la première moitié des années 1980.

aux 25 589 296$ prévus dans la proposition de 1974. Les coûts seront dont beaucoup moins élevés pour les gouvernements supérieurs.

Ainsi, sept années se seront écoulées entre la première demande d'autorisation et de subvention de la Ville en vue de l'étude d'un projet de réaménagement du secteur Terrasse-Ontario et le début de la mise en œuvre du programme d'amélioration de quartier Terrasse-Ontario, la volonté municipale s'étant confrontée aux procédures gouvernementales.

1.4.3 *La mise en place d'outils d'intervention propres à la Ville: la politique de regénérescence de la ville traditionnelle*

En 1977, devant les participants à un colloque sur le logement, tenu à Montréal, le représentant du Comité exécutif de la Ville de Montréal déclare: «Nous voulons par notre politique de regénérescence de la ville traditionnelle, de renaissance de ses quartiers, revitaliser les zones vieillies ou en perte de vitesse» (Simoneau, 1977, p. 296). Ainsi, le discours pro-urbain et néo-conservationniste se trouve-t-il récupéré. Après la politique de grandeur menée par la Ville, qui a trouvé son apogée dans la tenue, à Montréal, des Jeux Olympiques de 1976, et les critiques du parti d'opposition (le Rassemblement des citoyens de Montréal) qui réclame la prise en compte des petites patries, il y a certes là un effet idéologique recherché.

La Ville se trouvera appuyée, dans ce projet de revitalisation de son territoire, par le gouvernement du Québec. En février 1978, le Conseil des ministres énonce l'option préférable d'aménagement pour la région de Montréal: «La consolidation du tissu urbain, à l'intérieur du périmètre urbanisé actuel, et le réaménagement accéléré de l'île de Montréal, en termes de qualité de vie» (O.P.D.Q., 1978).

Parmi les facteurs avancés pour justifier cette option soumise par le Ministre d'État à l'Aménagement, on trouve le coût de l'étalement urbain, la diminution et l'appauvrissement de la population de l'île de Montréal et le fait que la Ville de Montréal supporte la plus grande part du fardeau financier des équipements de la région.

De plus, en 1979, l'Assemblée nationale du Québec adopte la Loi sur la protection du territoire agricole qui instaure un macro-zonage à l'échelle du territoire québécois en vue de freiner l'urbanisation des terres arables et de consolider le tissu urbain existant, notamment sur l'île de Montréal. Enfin, elle sanctionne également, en 1979, la Loi sur la fiscalité municipale qui rend encore plus important le rôle de l'impôt foncier comme principale source de revenu pour les municipalités, Montréal incluse.

Pour favoriser cette regénérescence de la ville traditionnelle, la Ville de Montréal se dotera de ses propres moyens d'intervention.

En 1979, est mise sur pied la Commission d'initiative et de développement économique de Montréal (C.I.D.E.M.) qui a pour mandat de: «élaborer, planifier, coordonner et exécuter les programmes et les projets de la Ville en matière d'habitation et de promotion et de développement économique» (Ville de Montréal, règlement no 5380). La C.I.D.E.M. sera responsable de l'Opération 10 000 logements lancée en 1979. Cette opération, qui deviendra l'Opération 20 000 logements, vise à offrir des logements neufs à la clientèle type des banlieues (jeunes ménages familiaux à revenus moyens) que la municipalité aimerait bien voir s'établir sur son territoire. La C.I.D.E.M. a également pour mandat, l'orientation du développement économique de Montréal. La définition de cette orientation sera confiée au Conseil consultatif de la C.I.D.E.M. qui est chargé de concevoir et de proposer des politiques de développement pour la ville. Ce Conseil est formé de 92 membres recrutés chez les leaders économiques et représentant en majorité les milieux financier, industriel et commercial[13].

C'est donc de concert avec les milieux d'affaires que la municipalité veut promouvoir le développement économique de la ville. En 1981, le Comité exécutif sanctionne un projet de politique industrielle soumis par C.I.D.E.M. – Industrie. Les résultats escomptés sont «l'accroissement de l'emploi dans le secteur manufacturier», «l'amélioration de la qualité de la structure industrielle» et «l'intégration optimale de la fonction industrielle à la vie urbaine» (Piché, 1983, p. 37). Pour mener à bien cette politique, la Ville met en place quelques outils. En 1981, elle crée la Société de développement industriel de Montréal (SODIM), corporation municipale sans but lucratif, financée par la Ville et le gouvernement du Québec par le biais de l'Office de planification et de développement économique et dont le conseil d'administration est largement composé de représentants de l'entreprise privée. La SODIM a pour mandat d'acquérir, de rénover et d'administrer des immeubles industriels. Elle est aussi chargée de gérer le programme de coopération industrielle de Montréal (PROCIM), programme d'aide financière à la restauration et à l'agrandissement de bâtiments industriels. Ce programme est applicable dans le quartier Centre-sud. La Ville met aussi sur pied un groupe de travail – industrie, instrument de régie interne dont l'objectif principal est de

---

13. Sont représentées à ce Conseil six grandes banques, la Bourse de Montréal, des maisons de courtage, quelques-unes des vingt plus grandes entreprises de Montréal (Imasco ltée, Alcan, Bell Canada, Power Corporation, CP Rail, CN Rail, Air Canada...), l'industrie des aliments et boissons (Provigo, Steinberg, Métro-Richelieu, Molson, Labatt, Canada Packers), l'industrie du cinéma (Télé-Métropole, Unimédia, Filmplan International, Ciné-Vidéo...), l'industrie du tourisme (Association des agents de voyage, Association des hôteliers...), et l'industrie de la construction (deux associations de constructeurs, un promoteur immobilier...). Ce Conseil compte également des représentants de ministères, d'agences gouvernementales et de sociétés publiques de même que des universitaires, des avocats, des ingénieurs, des architectes et deux syndicalistes...

«simplifier et d'accélérer le traitement des dossiers industriels et de leur apporter une solution conforme aux politiques de l'administration» (*Ibid.*, p. 39). La Ville projette également, au début des années 1980, l'établissement d'un réseau de parcs industriels réparti sur l'ensemble du territoire de la municipalité. Toutefois, le quartier Centre-sud n'est pas touché. Enfin, C.I.D.E.M. – Industrie mènera des études, notamment sur le zonage industriel, produira des documents de promotion industrielle, favorisera le maintien de l'entreprise existante en collaborant étroitement avec les industries du textile et de la confection et s'intéressera, en réponse à la demande du milieu des affaires, au développement de la haute technologie.

La municipalité favorise également la réanimation des artères commerciales. Elle entreprendra, par le biais du Service des travaux publics, le réaménagement de rues commerciales dont deux seront situées dans le quartier Centre-sud et ce, dans le cadre du programme de revitalisation des artères commerciales (R.A.C.). Il s'agira d'enfouir les fils électriques, de refaire les chaussées et les trottoirs, de planter des arbres, d'installer des lampadaires, des bancs publics et des bacs à fleurs afin de rendre ces rues plus attrayantes pour la clientèle existante et une nouvelle clientèle potentielle.

La Ville appuiera également, par le biais de C.I.D.E.M. – Commerce, la mise sur pied de Sociétés d'initiative et de développement d'artères commerciales (S.I.D.A.C.), associations regroupant des marchands et des gens d'affaires établis sur une même rue commerciale. Les S.I.D.A.C. ont pour objectifs de travailler à la promotion et d'améliorer l'apparence de leur artère commerciale respective. La Ville incite ainsi les commerçants et gens d'affaires d'une même rue à mettre en commun leurs ressources afin de mieux faire face à la concurrence des centres commerciaux des banlieues périphériques. Cependant, à l'été 1984, il n'y avait pas encore de S.I.D.A.C. dans le quartier Centre-sud. Il y avait cependant des associations de marchands. Notons que la formule (S.I.D.A.C.) initiée par Montréal sera reprise par le gouvernement du Québec qui en favorisera l'implantation dans d'autres municipalités.

En ce qui a trait au domaine de l'habitation, la Ville mettra également sur pied, en 1979, outre la C.I.D.E.M., la Société d'habitation de Montréal (SOMHAM). Un amendement apporté par le gouvernement du Québec à un article (l'art. 964B) de la Charte de la Ville, donne à cette dernière les pouvoirs nécessaires à la création d'une corporation sans but lucratif ayant pour mandat «l'acquisition d'immeubles d'habitation pour personnes ou familles autres que celles à faible revenu ou à revenu modique.» (Montréal, 1980, p. 21). La clientèle visée par la SOMHAM

> est composée de ménages dont les revenus sont trop élevés pour avoir accès aux logements publics, mais pas suffisants pour pouvoir payer les loyers que commandent les logements neufs produits pour l'entreprise privée. (*Ibid.*, p. 63)

La SOMHAM construira de nouveaux logements et restaurera également de vieux logements, qu'elle aura acquis. Elle interviendra dans le quartier Centre-sud.

Enfin, en 1980, la Ville met sur pied son programme d'intervention dans les quartiers anciens (P.I.Q.A.). Ce programme vise, à l'époque, onze secteurs sur le territoire de la municipalité, dont quatre sont situés dans le quartier Centre-sud. Il s'agit des secteurs Champlain, Jacques-Cartier, Dufresne-Nord et Dufresne-Sud. Pour chacun de ces secteurs, la Ville prévoit concentrer, sur une période de un à trois ans, divers types d'intervention qui relèvent de différents services municipaux, le tout étant coordonné par le Service de l'urbanisme. Les objectifs généraux des P.I.Q.A. puisent dans le discours néo-culturaliste et néo-conservationniste:

- Préservation du caractère distinctif du quartier auquel le secteur appartient
- Amélioration de la qualité du milieu de vie
- Enrichissement de la vie collective et culturelle
- Préservation de la population actuelle
- Mise en valeur du patrimoine immobilier
- Embellissement du cadre de la rue. (Montréal, 1982b)

En fait, par les P.I.Q.A., la Ville cherche à rendre les vieux quartiers plus attrayants pour la nouvelle population qu'elle souhaite voir s'y établir. Le P.I.Q.A. Champlain dont la zone d'intervention se situe entre le secteur Terrasse-Ontario au nord et la Maison de Radio-Canada au sud (voir la carte 3), sera un des quatre premiers P.I.Q.A. mis en œuvre sur le territoire de la municipalité et le premier dans le quartier Centre-sud[14]. Quant aux autres P.I.Q.A. prévus pour ce quartier, leur mise en œuvre sera retardée par la Ville jusqu'à ce qu'elle obtienne une aide financière des paliers supérieurs de gouvernement.

2. LES MODALITÉS ET LES EFFETS DE L'INTERVENTION MUNICIPALE

La Ville de Montréal tentera donc, au cours des années 1970 et au début des années 1980, de favoriser la réanimation du quartier Centre-sud et ce, par des interventions visant la restauration des vieux logements, la construction de nouveaux logements, l'amélioration des équipements collectifs et la

---

14. La Ville obtiendra de la S.C.H.L. et de la S.H.Q. des fonds pour mettre en œuvre sur le secteur Champlain un programme d'amélioration de quartier (P.A.Q.). Les interventions prévues dans le cadre de ce P.A.Q. (Montréal, juillet 1982) s'intégreront à celles annoncées dans le document de présentation du P.I.Q.A. Champlain (Montréal, 1982b).

CARTE 3

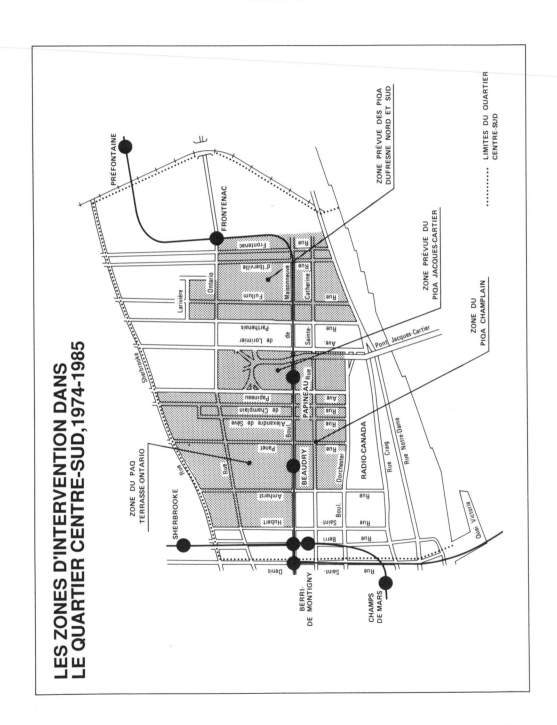

LES ZONES D'INTERVENTION DANS
LE QUARTIER CENTRE-SUD, 1974-1985

revitalisation des activités commerciales et industrielles. Nous traiterons ici de ces interventions, de leurs modalités et de leurs effets.

2.1 La restauration résidentielle: consolidation du vieux stock de logements et éviction des occupants

L'un des principaux volets de l'intervention municipale prévus à l'intérieur du P.A.Q. Terrasse-Ontario est la restauration résidentielle. Ce sera aussi un volet important du P.I.Q.A. Champlain. La municipalité intensifiera, à l'intérieur des zones d'application de ces programmes, ses mesures d'incitation à la restauration privée et interviendra directement sur le vieux stock de logement par le biais de la SOMHAM. Un nouveau type d'acteur fera également surface: les coopératives d'habitation qui procéderont à l'achat — restauration de bâtiments existants pour constituer un parc social différent.

2.1.1 *L'incitation à l'initiative privée et la logique de la rentabilité économique*

À l'automne 1974, à la veille des élections municipales, le maire de la ville qui se représente devant l'électorat, déclare que «la restauration est la clef de voûte de toute politique d'habitation»[15] et que «tout raser et reconstruire à neuf, n'est pas la seule ni meilleure formule au problème de l'habitation»[16], les H.L.M. ne répondant pas, selon lui, aux besoins des citoyens. Ainsi, la vocation du logement restauré est-elle associée à celle du H.L.M., à savoir répondre à la demande sociale des couches populaires. Toutefois, le logement restauré devra également répondre à la demande des couches moyennes que la Ville voudra attirer, sinon garder, sur son territoire, objectif qui sera de plus en plus marqué à l'approche des années 1980.

L'intervention municipale en matière de restauration résidentielle vise, dans le secteur Terrasse-Ontario, ce compromis: le maintien des couches populaires existantes et l'apport de nouveaux résidants mieux nantis. En 1974, le Service de l'habitation et de l'urbanisme prévoit d'abord l'inspection, suivant les prescriptions du Code du logement, d'environ 2000 logements dans le secteur. Des subventions à la restauration seront ensuite accordées aux propriétaires de logement(s) non conforme(s) aux normes minimales d'habitabilité, afin qu'ils y effectuent les travaux de réhabilitation nécessaires.

Le programme municipal de subventions à la restauration permet, à l'époque, à un propriétaire de se voir octroyer un montant pouvant atteindre

---

15. *La Presse*, Montréal, 28 octobre 1974, cité par R. Mayer (1976), p. 531.
16. *La Presse*, Montréal, 6 novembre 1974, cité par R. Mayer (1976).

jusqu'à 25% du coût des travaux, ces derniers ne devant cependant pas, pour le calcul de la subvention, excéder 12 000$ par logement, puis 10 000$ à partir de 1975. Dans le cadre du programme de restauration S.H.Q. – Municipalités, la Société d'habitation du Québec s'engage à rembourser à la municipalité la moitié des montants des subventions qu'elle accorde, avec un coût maximal des travaux reconnu à des fins de subventions fixé, en 1975, à 10 000$ par logement, d'où le plafond de 10 000$ adopté par la municipalité.

Quant au programme fédéral de remise en état des logements (en vigueur pour Montréal à partir de 1975), il couvre d'abord jusqu'à un autre 25% du coût des travaux de restauration et permet également à un propriétaire de se prévaloir d'un prêt de la Société centrale d'hypothèques et de logement, à un taux bonifié de 8%. En 1976, ce programme est cependant modifié: un propriétaire peut se voir accorder, outre la subvention Ville – S.H.Q., un prêt maximal de 10 000$ à 8% d'intérêt, mais dont une portion pouvant atteindre jusqu'à 37,5% de ce montant peut constituer une remise gracieuse, donc une subvention. Le propriétaire doit toutefois se soumettre à certaines conditions: ne pas revendre son logement sans le consentement de la S.C.H.L. et accepter que le nouveau loyer soit établi «en fonction des dépenses d'opération et d'un profit raisonnable». Ce nouveau loyer sera fixé par les fonctionnaires de la Ville. Cette aide fédérale qui s'applique à l'intérieur de zones désignées – Centre-sud faisant partie de celles de Montréal – s'adresse à tout propriétaire-bailleur sans égard à ses revenus personnels et à tout propriétaire-occupant compte-tenu de ses revenus. Par contre, la subvention Ville – S.H.Q., en vigueur sur tout le territoire de Montréal, est disponible pour tout propriétaire quel que soit son statut et ses revenus. Ces programmes connaîtront, bien sûr, quelques changements au cours des années ultérieures.

C'est la Division du code du logement et des subventions à la restauration du Service de l'habitation et de l'urbanisme qui est d'abord responsable de l'application du Code du logement et des programmes de subventions à la restauration. En 1979 cependant, la municipalité se dote d'un nouveau service qui aura les mêmes responsabilités: le Service de la restauration et de la conservation du patrimoine résidentiel. La Ville veut ainsi davantage marquer sa volonté de promouvoir la préservation et la réhabilitation de l'habitat ancien dans le cadre de sa politique de regénérescence de la ville traditionnelle. En fait, il ne s'agit pas vraiment de la création d'un nouveau service, mais plutôt d'un changement de statut de la Division du code du logement et des subventions à la restauration qui ne relève plus du Service de l'urbanisme et devient un service autonome.

Quel a été l'impact des programmes de subventions à la restauration privée dans le secteur Terrasse-Ontario? Les données du Service de la restauration concernant les subventions accordées sont regroupées par quartiers municipaux, unités administratives dont aucun regroupement ne coïncide exactement avec le territoire du secteur Terrasse-Ontario ou celui du quartier Centre-sud. Nous devons donc nous appuyer sur des recoupements approximatifs. Ainsi, les quartiers municipaux Saint-Jacques et Bourget correspondent, grosso modo, au secteur Terrasse-Ontario et ces deux quartiers ajoutés aux quartiers municipaux Papineau, Sainte-Marie et Saint-Eusèbe correspondent, à peu près, au quartier Centre-sud.

De 1972 à septembre 1981, 179 bâtiments comprenant un total de 760 logements ont été restaurés avec subventions, dans les limites (approximatives) du secteur Terrasse-Ontario et 493 bâtiments incluant un total de 2041 logements dans le périmètre (approximatif) du quartier Centre-sud (voir le tableau 1). Trente-sept pour cent des logements restaurés avec subventions dans le quartier Centre-sud de 1972 à septembre 1981 seraient ainsi localisés dans le secteur Terrasse-Ontario qui regroupait, en 1970, 31% des logements de Centre-sud.

Cette proportion des logements restaurés avec subventions dans Terrasse-Ontario par rapport à Centre-sud augmentera avec la mise en œuvre du P.A.Q. En effet, de 1976, date de la mise en œuvre de la première phase du P.A.Q., à septembre 1981, 644 logements auront été restaurés avec subventions dans les limites (approximatives) de Terrasse-Ontario alors que 1325 l'auront été dans le périmètre (approximatif) de Centre-sud. Quarante-neuf pour cent des logements restaurés avec subventions dans Centre-sud l'auraient donc été, de 1976 à septembre 1981, dans Terrasse-Ontario, contre 37% de 1972 à 1981.

La majorité de ces logements restaurés avec subventions appartient à des propriétaires privés. Or, selon un fonctionnaire du Service de la restauration et de la conservation du patrimoine résidentiel[17], la restauration privée subventionnée est suivie d'augmentations de loyers d'au moins 50% et, de l'avis d'un architecte du Service de l'urbanisme[18], préposé à la mise en œuvre du programme d'amélioration de quartier Terrasse-Ontario, la restauration privée subventionnée a provoqué l'éviction des locataires. Et ces observations sont confirmées par différentes enquêtes.

Une première enquête menée en 1975 pour le Groupe de travail sur l'habitation formé par le gouvernement du Québec révèle qu'à Montréal seulement 46% des locataires sont restés dans leur logement après restauration

---

17. Rencontré à l'automne 1981.
18. Rencontré au printemps 1982.

TABLEAU 1

Bâtiments et logements restaurés avec subventions dans les quartiers municipaux correspondants approximativement au secteur Terrasse-Ontario et au quartier Centre-sud, ville de Montréal, 1972 à septembre 1981

Bâtiments et logements restaurés par année / Quartiers municipaux	1972		1973		1974		1975		1976		1977		1978		1979		1980		Total		1981 janv. à sept. incl.	
	Bât.	Log.	Bât.	Log.	Bât.	Log.	Bât.	Log.	Bât.	Log.	Bât.	Log.	Bât.	Log.	Bât.	Log.	Bât.	Log.	Bât.	Log.	Bât.	Log.
Saint-Jacques	8	24	--	--	1	3	4	14	2	18	6	31	12	72	1	3	22	74	56	239	22	85
Bourget	11	47	2	8	1	5	4	15	2	26	16	68	16	76	8	36	25	101	85	382	16	54
Sous-total: Terrasse-Ontario (approx.)	19	71	2	8	2	8	8	29	4	44	22	99	28	148	9	39	47	175	141	621	38	139
Papineau	11	64	1	5	--	--	--	--	5	19	7	31	10	51	8	40	18	69	60	279	9	33
Sainte-Marie	70	299	18	68	--	--	1	10	6	30	11	52	7	33	11	37	8	32	132	561	6	19
Saint-Eusèbe	18	61	9	35	7	29	7	29	24	108	8	35	18	39	8	24	7	26	106	386	1	3
Sous-total: Centre-sud moins Terrasse-Ontario (approx.)	99	424	28	108	7	29	8	39	35	157	26	118	35	123	27	101	33	127	298	1226	16	55
Grand total Centre-sud (approx.)	118	495	30	116	9	37	16	68	39	201	48	217	63	271	36	140	80	302	439	1847	54	194

Source: Compilation à partir des données du Service de la restauration et de la conservation du patrimoine résidentiel de la Ville de Montréal, 1981.

LE QUARTIER CENTRE-SUD À MONTRÉAL:
DES LOGEMENTS RESTAURÉS DANS LE SECTEUR TERRASSE-ONTARIO

PHOTO 3

(Vachon, 1975, p. 101). Une seconde étude, publiée en 1976, qui porte sur les quartiers municipaux périphériques au centre-ville de Montréal, regroupant 57,4% de tous les logements restaurés avec subventions de la ville, de 1968 à mai 1976, et incluant le secteur Terrasse-Ontario et une bonne partie du quartier Centre-sud, fait ressortir que sur un échantillon de 214 logements restaurés avec subventions, 101 sont occupés par un nouveau locataire soit un taux de départ de 47,4%; pour 76 locataires répondants, l'augmentation moyenne du loyer après restauration est de 51,5% (Clinique d'aménagement, 1976, p. 73). Une troisième étude, commandée par la Société centrale d'hypothèques et de logement montre que le loyer maximal permis par la S.C.H.L. après restauration effectuée à l'aide des subventions du P.A.R.E.L. est en moyenne, à Montréal, de 64% plus élevé que le loyer avant restauration[19].

---

19. H. Rostum, *Residential Rehabilitation Assistance Program: an Evaluation of Performance*, C.M.H.C., 1977, cité par G. Mathews et G. Divay (1981), p. 82.

Une quatrième enquête, menée en 1981, pour Inter-loge Centre-sud et portant sur une cinquantaine de logements restaurés avec subventions dans Centre-sud révèle que sur 31 locataires rejoints, 24 sont des nouveaux résidants du quartier (Lefebvre, 1981, p. 7).

Une cinquième étude réalisée en 1984 pour le Comité logement Centre-sud et portant sur un échantillon de 300 logements situés dans le quartier Centre-sud, note un écart de près de 100$ entre la moyenne du coût d'accès aux logements non-restaurés (265,79$) et celle du coût d'accès aux logements restaurés (360,14$) (Dagenais *et al.*, 1984). Cette étude révèle également que 36% des personnes habitant un logement restauré travaillent dans le secteur tertiaire contre 15% des personnes habitant un logement non-restauré. La proximité du centre-ville et la tertiarisation du quartier sont certes des facteurs d'attraction des résidants occupant un logement restauré, ce que confirme d'ailleurs cette étude: la proximité du lieu de travail est l'un des trois principaux facteurs motivant le choix de localisation des occupants des logements restaurés. Soulignons, à titre d'exemple, qu'en 1984, la Maison de Radio-Canada a à son service 3500 employés réguliers et près de 10 000 employés occasionnels.

Enfin, une sixième étude menée à l'automne 1984 par le Laboratoire de recherche en sciences immobilières (LARSI) de l'UQAM et portant sur trois secteurs périphériques au centre-ville de Montréal, dont un se trouve dans le quartier Centre-sud, conclut que 90% des logements restaurés en 1983-1984 (5000$ de travaux et plus) sont occupés par de nouveaux résidants qui y habitent depuis moins de deux ans (Choko *et al.*, 1985). Cette étude révèle également que 68% des propriétaires qui restaurent leur(s) logement(s) le font avec des subventions. La restauration subventionnée est donc plus importante que la restauration non-subventionnée (en ce qui concerne les travaux de 5000$ et plus).

Dans le cadre du P.I.Q.A. Champlain qui sera mis en œuvre au début des années 1980, la restauration résidentielle aura aussi pour effet d'accentuer ce phénomène relevé par la municipalité: «une nouvelle population, très différente de l'ancienne, fait peu à peu son apparition» (Montréal, 1982b). La Ville, à l'intérieur de ce programme, permettra à un propriétaire d'obtenir une subvention à la restauration pouvant couvrir jusqu'à 65% du coût des travaux. Il s'agira d'une subvention combinée provenant du nouveau programme provincial de subventions à la restauration LOGINOVE, du programme fédéral d'amélioration et de remise en état des logements (P.A.R.E.L.) et du programme municipal de subventions à la restauration.

Une enquête menée sur un échantillon de 119 logements dans le secteur Champlain, révèle que 48% des occupants des logements restaurés résident dans le secteur depuis trois ans et moins, 22% depuis quatre à neuf ans

et 30% depuis au moins dix ans. Par contre, 24% des occupants des logements non-restaurés habitent dans le secteur depuis trois ans et moins, 31%
depuis quatre à neuf ans et 44% depuis au moins dix ans (Blackburn *et al.*,
1984). La population des logements restaurés est donc composée d'une plus
grande proportion de nouveaux arrivants que celle des logements non-
restaurés. Selon cette étude, c'est la proximité des lieux de travail dans le
quartier Centre-sud ou au centre-ville qui constitue la principale raison
d'établissement dans le secteur pour 63% des occupants des logements restaurés. Rappelons que le secteur Champlain est situé tout près de la zone est
du centre-ville et juste au nord de la Maison de Radio-Canada. Cette même
étude montre également une augmentation marquée des loyers après restauration: 26% des logements restaurés ont un loyer inférieur à 200$ par mois
contre 59% des logements non-restaurés et 23% des logements restaurés ont
un loyer supérieur à 350$ par mois contre 0% pour les logements non-
restaurés. Cette importante hausse du coût d'accès au logement constitue
certes un facteur d'éviction des anciens occupants. Enfin, l'intervention municipale a eu une incidence certaine sur la restauration des logements. En effet, toujours selon la même étude, 60% des propriétaires ayant restauré
leur(s) logement(s) dans ce secteur ont eu recours à des subventions (ce pourcentage exclut les logements appartenant à des coopératives d'habitation).
Mais, bien sûr, une partie de ces propriétaires aurait sans doute fait effectuer
des travaux de restauration même sans subvention.

La revalorisation du vieux stock de logements ne profite donc pas nécessairement aux anciens occupants. Elle profite cependant au Trésor municipal. En effet, les logements restaurés voient leur évaluation augmentée, ce qui
permet à la municipalité de percevoir des revenus plus élevés par le biais de
l'impôt foncier. L'examen de quatorze cas de restauration subventionnée
(avant 1977) dans le quartier municipal Saint-Jacques, qui couvre une partie
du territoire de Terrasse-Ontario, est assez révélateur: l'évaluation globale
est passée de 294 000$ avant restauration à 440 500$ après restauration, soit
une hausse de 49,5% (Choko, 1981, p. 88). Et l'étude de quatorze autres cas
de restauration subventionnée, cette fois dans le quartier municipal Papineau, situé sur le territoire de Centre-sud, est encore plus révélatrice: l'évaluation globale est passée de 174 000$ avant restauration à 373 000$ après
restauration, soit une augmentation de 113,4% (*Ibid.*, p. 88). En peu de temps,
la municipalité recouvre donc ses dépenses. L'incitation à la restauration apparaît ainsi comme une opération plus économique que sociale.

Enfin, soulignons que la municipalité se portera elle-même acquéreur
de vieux logements et procédera à leur restauration par le biais de la
SOMHAM. Cette dernière projetait de restaurer, pour janvier 1982, 109 logements dans le secteur Terrasse-Ontario. Ces logements seront destinés en
majorité à une clientèle à revenu moyen, bien que certains seront rachetés par

des coopératives d'habitation. La restauration municipale aura ainsi à peu près le même impact social que la restauration privée...

2.1.2 La mise sur pied des coopératives d'habitation: l'auto-gestion d'un parc social subventionné par l'État

Au début des années 1970, les organismes populaires du quartier Centre-sud dénoncent les nombreuses démolitions qui affectent le quartier. C'est pour contrer ces démolitions qu'à l'automne 1974, un nouveau groupe est mis sur pied: les Habitations communautaires du Centre-sud de Montréal. Pour conserver de grands logements familiaux dans le quartier, ce groupe envisage le moyen suivant: l'achat – restauration de bâtiments résidentiels par leurs locataires regroupés en coopératives d'habitation.

C'est au cours de l'été 1975 que les Habitations communautaires projettent la réappropriation sociale d'une première maison sise dans le secteur Terrasse-Ontario. Mais déjà en novembre 1975, le projet est abandonné, les coûts prévus sont trop élevés (Les Habitations communautaires, 1978, p. ii). Malgré ce premier abandon, le groupe persévère. En 1976, il se porte acquéreur d'un bâtiment de huit logements que le propriétaire s'apprête à faire démolir. Cependant, le bâtiment étant vacant, il n'y a pas d'occupants impliqués dans sa réappropriation. Toutefois, en 1977, le groupe réalise un second projet d'achat – restauration d'un bâtiment de six logements avec la collaboration des locataires-occupants. Le groupe s'engage ainsi dans le rôle qu'il se proposait de jouer: celui de catalyseur du processus de mise sur pied de coopératives d'habitation.

Les Habitations communautaires seront soutenues dans ce rôle par le nouveau programme québécois d'aide aux coopératives d'habitation (LOGIPOP) inauguré en 1977. Grâce à ce programme, elles recevront une subvention de 50 000$ par année, à titre de groupe de ressources techniques (G.R.T.). La principale fonction d'un G.R.T. est de donner un appui juridique à la formation de coopératives et une aide technique à l'achat – restauration de bâtiments résidentiels. Les Habitations communautaires seront très actives dans la partie ouest du quartier et plus particulièrement dans le secteur Terrasse-Ontario.

Un autre G.R.T. se consacrera au quartier Centre-sud. Il s'agit du Groupe de ressources techniques en habitation de Montréal (G.R.T.H.M.) créé en 1976 par de jeunes architectes progressistes. D'abord actif sur l'ensemble du territoire de la ville, il concentrera, à compter du début des années 1980, ses interventions dans le quartier Centre-sud.

La formule coopérative est encouragée par les gouvernements supérieurs qui y voient une formule de substitution à la formule H.L.M. Elle permet la constitution d'un parc social auto-géré par les résidants et dont le financement indirect semble moins coûteux à l'État que le financement direct du parc H.L.M. Le gouvernement fédéral qui finance la plus grosse partie de la construction de H.L.M. (75 % contre 25 % pour les provinces et les municipalités) va d'ailleurs réduire ses dépenses à ce chapitre: par exemple, en 1977, les engagements autorisés y sont de 785 millions de dollars; en 1978, de 488 millions; en 1979, de 170 millions (S.C.H.L., 1979). Les engagements approuvés par le gouvernement fédéral au chapitre de la construction de H.L.M. concernent 16 178 logements en 1978 et seulement 3493 en 1979 (*Ibid.*). Par contre, les engagements approuvés dans le cadre du programme d'aide aux coopératives d'habitation et aux logements sans but lucratif touchent 9338 logements en 1978 et 24 256 logements en 1979 (*Ibid.*). La formule coopérative peut aussi paraître avantageuse pour les municipalités dans la mesure où elle répond à une demande sociale que l'offre H.L.M., dont ces dernières assument une partie de la responsabilité par le biais des Offices municipaux de H.L.M., ne peut satisfaire que partiellement. De plus, les coopératives d'habitation contribuent à la restauration du parc résidentiel existant, ce que favorisent les municipalités.

Le mouvement coopératif profitera des aides gouvernementales mais il en deviendra également dépendant. En effet, la majeure partie du financement d'un projet coopératif est assurée par les programmes de la S.C.H.L., de la S.H.Q. et de la Ville: subventions provinciales dans le cadre du programme LOGIPOP afin d'aider au démarrage d'un projet coopératif (500$ en 1980) et à la mise de fonds pour l'achat de logements (3000$ par logement en 1980), prêts hypothécaires garantis et subventionnés, afin d'en réduire le taux d'intérêt (jusqu'à 2 %), du gouvernement fédéral, subventions à la restauration dans le cadre des programmes fédéral et municipal-provincial, et enfin, subventions, soit fédérales, soit provinciales, au loyer pour les résidants à plus faibles revenus. Seule la formule coopérative est autant subventionnée. Cependant, si ces aides sont freinées, la formule l'est aussi. Ainsi, à l'été 1980, la S.C.H.L. annonce que les fonds destinés à son programme d'aide au logement coopératif sont épuisés: 45 projets coopératifs, pour un total de 600 logements, sont alors compromis sur l'île de Montréal et la Rive-Sud de la métropole (Hebdo-Coop, 1981).

De plus, la formule coopérative est dépendante non seulement des financements des différents gouvernements, mais aussi de l'expertise technique des G.R.T. Le processus d'incorporation, de demande de subventions et d'achat – restauration est long et complexe et peut constituer un obstacle à la mise sur pied de coopératives d'habitation pour des ménages qui ne sont pas rompus à ce type de démarches. L'action des Habitations communautaires et du G.R.T.H.M. dans le secteur Terrasse-Ontario et le quartier Centre-sud est donc vitale. Sans leur appui, plusieurs projets coopératifs n'auraient pas vu le jour. Cette complexité administrative soulève aussi le problème du contrôle très serré que la S.C.H.L. exerce sur le processus d'achat d'un logement par une coopérative. En effet, c'est la S.C.H.L. qui décide si le type de logement que projette d'acquérir une coopérative peut jouir d'un prêt hypothécaire à taux d'intérêt réduit et qui fixe ce taux, lequel va influencer le loyer que les occupants devront payer.

Enfin, malgré les efforts des Habitations communautaires et du G.R.T.H.M., le bassin de logements restaurés appartenant à des coops est restreint dans le secteur Terrasse-Ontario et le quartier Centre-sud. En septembre 1981, il n'y avait que huit coopératives d'habitation dans le secteur Terrasse-Ontario ayant restauré avec subventions 44 logements sur les 644 logements qui y avaient été restaurés avec subventions depuis 1976; dans le quartier Centre-sud, il y avait 16 coopératives propriétaires de 61 logements restaurés avec subventions sur les 1325 logements restaurés avec subventions depuis 1976[20]. La dépendance financière, la complexité administrative et le processus de conscientisation des résidants du quartier à l'appropriation collective de leur logement viennent ralentir la mise sur pied de coopératives d'habitation.

Toutefois, la formation de coopératives ira s'accélérant. Ainsi, à l'été 1985, il y aura 27 coopératives d'habitation dans le quartier Centre-sud possédant un total de 56 bâtiments regroupant 279 logements[21]. La majorité de ces bâtiments (autour de 75%) sera située dans le secteur Terrasse-Ontario. Les Habitations communautaires et le G.R.T.H.M. se seront rodés aux procédures administratives. Le processus de mobilisation des résidants du quartier donnera également ses fruits. De plus, des coops ayant accumulé un certain capital commenceront à acheter des immeubles sans attendre l'avis de la S.C.H.L. Enfin, les acquisitions d'Inter-loge seront importantes.

C'est en 1978 qu'Inter-loge (Intervention-logement) Centre-sud est mis sur pied. Il va se porter acquéreur de bâtiments résidentiels et les offrir à leurs occupants en les sensibilisant à la formule coopérative et en les référant aux deux G.R.T. du quartier. Inter-loge achète donc un immeuble avant même qu'une coopérative ne se forme pour en faire l'acquisition, le processus de mise sur pied d'une coopérative étant très long. Or, selon un membre du conseil d'administration et principal animateur du groupe[22], la «récupération des logements est urgente»: il faut les «soustraire à la spéculation». L'organisme intervient donc massivement dans le quartier et prioritairement dans

20. Informations recueillies auprès du G.R.T.H.M., mars 1982.
21. Informations recueillies auprès du G.R.T.H.M., juin 1985.
22. Rencontré en mars 1982.

sa partie ouest, notamment dans le secteur Terrasse-Ontario, car la «pression du centre-ville s'y fait le plus sentir».

En 1980, Inter-loge reçoit du gouvernement du Québec, et ce pour deux ans, une subvention de 70 000$ pour défrayer ses dépenses d'opération et une subvention de 150 000$ pour les mises de fonds nécessaires à l'achat d'immeubles. L'organisme trouve également un appui financier auprès de certaines communautés religieuses. Inter-loge qui veut agir en tant que propriétaire de transition achète cependant beaucoup plus de bâtiments qu'il arrive à en vendre. Ainsi, en mai 1985, Inter-loge aura vendu un total de 145 logements à des coopératives d'habitation, mais il restera tout de même propriétaire de 200 autres logements[23]. Il devient donc, sans vraiment vouloir l'être, un gros propriétaire, mais qui n'en fait pas moins sa part pour le développement des coopératives d'habitation dans le quartier.

Enfin, soulignons que la vocation populaire des logements appartenant à des coopératives d'habitation est confirmée par une étude de l'I.N.R.S. – Urbanisation. La clientèle d'une quarantaine de coopératives d'habitation situées à Montréal présente, en 1979, les caractéristiques suivantes:

> elle est constituée de ménages familiaux de trois ou quatre personnes. Le chef de ménage est le plus souvent un ouvrier non spécialisé, parfois un col blanc; il gagne de 10 000$ à 15 000$ par année. Parmi cette clientèle, on compte environ 20% de ménages monoparentaux; elle comprend aussi environ 20% d'assistés sociaux gagnant moins de 6000$ par année. (Fortin, 1980, p. 49)

Notons que, selon Statistique Canada, le seuil de la pauvreté pour une famille de quatre personnes se situait, en 1978, à 10 648$ et le revenu familial moyen était alors au Québec de 19 181$[24]. Selon le G.R.T.H.M., les coopératives d'habitation implantées dans le secteur Terrasse-Ontario et le quartier Centre-sud ont pu maintenir de bas loyers après la restauration des logements qu'elles ont acquis, essentiellement à cause des nombreuses subventions qui leur ont été accordées.

Cependant, les occupants ont pu changer. L'étude de l'I.N.R.S. – Urbanisation souligne que les locataires des logements coopératifs «logaient antérieurement dans le même quartier ou dans le même logement», mais dans une proportion de 40% seulement (Fortin, 1980, p. 24). Selon le G.R.T.H.M. (mars 1982), les occupants des logements coopératifs de Terrasse-Ontario et de Centre-sud seraient originaires à environ 50% du même quartier et à 50% de l'extérieur du quartier. Les bâtiments achetés par les coopératives com-

---

23. Informations recueillies auprès d'Inter-loge Centre-sud, juillet 1985.
24. Cité par Fortin (1980), p. 49.

prennent souvent des logements vacants, des logements occupés par des personnes âgées qui quitteront pour aller vivre en H.L.M. ou en foyer pour personnes âgées, des logements habités par des locataires que la formule coopérative n'intéresse pas et des bâtiments non-résidentiels recyclés en logements.

2.2 La construction de logements: un solde négatif

Afin de maintenir la vocation résidentielle du secteur Terrasse-Ontario, le Service de l'habitation et de l'urbanisme avait prévu, dans le cadre du programme d'amélioration de quartier, outre la restauration du parc ancien, la construction de nouveaux logements.

En novembre 1981, l'Office municipal d'habitation de Montréal (O.M.H.M.) avait construit sur le territoire de Terrasse-Ontario, 720 H.L.M. dont 329 logements familiaux et 391 logements pour personnes âgées; 161 de ces logements avaient été construits dans le cadre de la première étape de la mise en œuvre du P.A.Q. (1976-1981): 70 logements familiaux et 91 logements pour personnes âgées (Montréal, 1981, p. 7). On a donc construit plus de H.L.M. pour personnes âgées que pour ménages familiaux, ce qui reflète la situation démographique du secteur au début des années 1970 et la tendance générale dans la construction de H.L.M. Il est à noter que l'O.M.H.M. loue prioritairement les nouveaux logements qu'il construit dans un quartier, aux ménages à faibles revenus résidant dans ce quartier. Enfin, soulignons que la construction de H.L.M. est financée à 95% par la S.C.H.L. et la S.H.Q. et que les déficits d'opération sont couverts à 90% par la S.C.H.L. et la S.H.Q.

La Société municipale d'habitation de Montréal (SOMHAM) a également construit de nouveaux logements dans ce secteur. En effet, outre la restauration de bâtiments résidentiels, elle a pour objectif de «construire de nouveaux logements, participant ainsi comme un des organismes d'intervention à l'Opération 10 000 logements (Montréal, 1980, p. 21). La SOMHAM avait construit ou était en train de construire en novembre 1981 87 logements familiaux dans le secteur Terrasse-Ontario, dont 19 sur les îlots d'intervention de la première étape du P.A.Q. (Montréal, 1981, p. 7), la majorité de ces logements étant destinée à une clientèle à revenus moyens. La SOMHAM sera aussi très active dans le secteur après 1981. Elle y construira plus d'une centaine de logements familiaux.

L'entreprise privée a aussi construit des immeubles résidentiels dans le secteur Terrasse-Ontario. Il s'agit, le plus souvent, d'immeubles à appartements comme celui de la compagnie Panet-Plessis Development érigé en 1977 et dont la clientèle n'est pas nécessairement constituée de la population traditionnelle du quartier.

LE QUARTIER CENTRE-SUD À MONTRÉAL: DES H.L.M. POUR PERSONNES ÂGÉES DANS LE SECTEUR TERRASSE-ONTARIO

PHOTO 4

Mais il n'y a pas que de nouveaux logements construits dans le secteur Terrasse-Ontario, il y a aussi de vieux logements démolis et en grand nombre. La municipalité accorde des subventions pour la restauration des vieux logements mais également pour la démolition – déblaiement de ces derniers. Ainsi, de 1972 à décembre 1980, 525 logements ont été rasés avec

subvention dans les limites (approximatives) du secteur Terrasse-Ontario et
1187 dans le périmètre (approximatif) du quartier Centre-sud[25]. De 1976, année du début de la mise en œuvre du P.A.Q. à décembre 1980, 294 logements
ont été démolis avec subvention dans les limites (approximatives) du secteur
Terrasse-Ontario et 635 dans le périmètre (approximatif) du quartier Centre-
sud. L'application du Code du logement dans le cadre du P.A.Q. Terrasse-
Ontario n'a donc pas suscité que la restauration de logements... Et il y a eu les
démolitions sans subvention et les incendies dont nous avons déjà fait mention.

Ainsi, malgré les logements construits par l'O.M.H.M., la SOMHAM
et l'entreprise privée, le bilan des logements construits moins ceux démolis
dans le secteur Terrasse-Ontario, entre 1970 et 1981 de même qu'entre 1974
et 1981, est-il négatif. En 1970, le Service de l'habitation dénombrait 5757 logements dans le secteur Terrasse-Ontario; en 1974, le Service de l'habitation
et de l'urbanisme en comptait 5680 soit une perte de 1,3 % par rapport à 1970;
et en 1981, le Service d'urbanisme en recensait 5080, soit une perte de 10,6 %
par rapport à 1974. Le secteur a donc perdu 677 logements de 1970 à 1981,
dont 600 de 1974, date du premier projet P.A.Q., à 1981.

Pour préserver le stock de logement, le Conseil municipal adopte, en
juillet 1978, le règlement no 5241 visant la protection du patrimoine résidentiel. Il permet à la municipalité de refuser un permis de démolition d'un immeuble résidentiel si cet immeuble est jugé récupérable à des fins d'habitation. Mais ce règlement, qui s'applique dans le secteur Terrasse-Ontario et
dans le quartier Centre-sud, n'est pas sans faille: un bâtiment résidentiel dont
la démolition est interdite en vertu de ce règlement peut rester abandonné
jusqu'à ce qu'il soit considéré, après quelques années, irrécupérable pour
l'habitation, les hivers sans chauffage, le vandalisme et les incendies pouvant
accélérer sa dégradation...

Soulignons enfin que dans le cadre du P.I.Q.A. Champlain, treize
emplacements feront partie de l'Opération 20 000 logements. La Ville y prévoit la construction de 150 logements destinés aux ménages familiaux et aux
personnes âgées.

2.3 Les équipements publics et les activités économiques: embellissement du quartier et tertiarisation

Afin de favoriser la réanimation du quartier Centre-sud, la municipalité n'intervient pas que sur le logement. Elle mène également des actions vi-

---

25. Compilation à partir des données du Service de la restauration et de la conservation du patrimoine résidentiel, Ville de Montréal, 1981.

sant à améliorer les équipements publics et à revitaliser les artères commerciales, ce qui se traduit surtout par la création de mini-parcs et l'aménagement d'un nouveau mobilier urbain. Quant au processus de désindustrialisation amorcé dans les années 1950, la municipalité le laisse se poursuivre, ayant misé sur le développement de la vocation tertiaire du quartier.

2.3.1 *La création de mini-parcs et le réaménagement du mobilier urbain*

Dans le cadre du P.A.Q. Terrasse-Ontario, l'intervention de la Ville sur les équipements collectifs se résume à la réfection des chaussées et, ce qui est le plus apparent, à la création de mini-parcs. Dans le cadre du P.I.Q.A. Champlain, la Ville procède à la réfection des chaussées et des trottoirs, à l'enfouissement des fils électriques, au réaménagement du mobilier urbain, c'est-à-dire à l'installation de nouveaux lampadaires (on en viendra à parler du syndrome du lampadaire pour caricaturer l'action de la Ville), à l'embellissement des aires de stationnement, à la construction d'un stationnement sous-terrain et à la création d'un cheminement piétonnier. Encore ici, les mini-parcs sont à l'honneur: aménagement de quatre mini-parcs de repos et de cinq mini-parcs de jeux. La Ville souhaite polir l'environnement de ces secteurs afin de les rendre plus éclatants et ainsi plus attirants pour de nouveaux occupants.

La Ville n'est pas la seule à intervenir sur les équipements publics. Ainsi, la Commission des écoles catholiques de Montréal (C.E.C.M.) qui est responsable de l'enseignement primaire et secondaire sur le territoire de la ville et dont les commissaires sont élus au suffrage direct, transforme, au milieu des années 1970, une école en centre d'éducation populaire axé principalement sur une clientèle adulte. Elle ferme, au début des années 1980, une autre école sise dans le secteur Terrasse-Ontario; une troisième école située au sud du secteur est également fermée au début des années 1980. Ces fermetures d'écoles ne sont pas des facteurs susceptibles d'attirer de nouveaux ménages familiaux dans le quartier et créent des difficultés aux ménages avec enfants qui y sont déjà établis. En 1980, un nouveau comité de citoyens est d'ailleurs mis sur pied par des parents du quartier, le Comité École et Vie de quartier. Il soulève la question suivante: Si la Ville veut attirer dans le quartier des ménages familiaux, pourquoi la C.E.C.M. ferme-t-elle les écoles?

Le gouvernement québécois intervient également en matière d'équipements collectifs. En effet, en 1974, le Centre local des services communautaires (C.L.S.C.) – Centre-sud prend place dans ses locaux situés dans le secteur Terrasse-Ontario. Tel que prévu dans la Loi sur les services de santé et les services sociaux adoptée par l'Assemblée nationale du Québec, la demande d'implantation du C.L.S.C. était venue de résidants du quartier, non cependant sans quelques dissensions. En effet, la plupart des organismes populaires de Centre-sud voyait dans l'implantation d'un C.L.S.C. un moyen pour l'État d'institutionnaliser et de récupérer les services qu'ils offraient déjà dans le quartier. Au début des années 1980, le C.L.S.C. est particulièrement actif dans deux domaines: la santé et les personnes âgées. En ce qui concerne l'action communautaire, le personnel du C.L.S.C. agit surtout comme support auprès des organismes populaires, lesquels continuent à offrir des services et à mener des actions revendicatives dans le quartier[26].

L'intervention de la Ville en matière d'équipements collectifs paraît ainsi limitée par rapport à celle d'autres acteurs publics. L'action de la Ville porte davantage sur les éléments décoratifs du cadre urbain alors que celle des autres intervenants est plutôt axée sur les aspects communautaires et sociaux de la vie urbaine.

2.3.2 L'appui aux activités tertiaires

Le processus de désindustrialisation amorcé dans le quartier Centre-sud après la Seconde Guerre mondiale se poursuit au cours des années 1970. Ainsi, de 1971 à 1981, il y a, dans le quartier, fermeture de 85 entreprises industrielles et ouverture de 31, pour une perte nette de 54 entreprises entraînant la disparition de 3049 emplois, soit une diminution de 25,7% du nombre de postes offerts par les industries du quartier (11 883 emplois en 1971 contre 8834 en 1981)[27]. Ce sont les entreprises traditionnelles, dominantes dans Centre-sud, qui sont les plus touchées: aliments et boissons, vêtements, textiles et chaussures... La mauvaise gestion de ces entreprises, l'absence de stratégie de pénétration du marché, la vétusté des équipements de production et la concurrence étrangère sont des causes de faillites, de fermetures et, dans certains cas, de relocalisation en périphérie.

Le secteur Terrasse-Ontario est particulièrement affecté par cette perte d'emplois industriels. Dans le cadre du P.A.Q., la Ville proposait d'y préserver les établissements industriels non-nocifs. Il semble que la plupart des établissements industriels étaient nocifs puisque de 1970 à 1980, ce secteur perd 68% de ses postes d'emplois industriels, leur nombre passant de 1646 à 520. De plus, cette perte d'emplois touche directement les résidants du secteur. En effet, en 1970, 33% des emplois industriels offerts dans le secteur étaient occupés par des résidants de ce secteur. Cette proportion tombe à 12% en 1980. Comme dans l'ensemble du quartier, ce sont les activités tradi-

---

26. Entretiens avec des membres du Comité social Centre-sud, organisme populaire qui compte plusieurs groupes communautaires.
27. Compilation à partir de la banque de données manufacturières de l'I.N.R.S. – Urbanisation.

tionnelles telles l'alimentation, le vêtement et la chaussure qui accusent la plus forte diminution d'emplois (Martel, 1980a).

Dans le cadre du P.I.Q.A. Champlain, la Ville ne propose aucune mesure en vue de maintenir l'activité industrielle dans le secteur. Au contraire, elle prévoit la relocalisation d'un bâtiment industriel «particulièrement incompatible avec l'environnement résidentiel».

Enfin, dans le cadre de sa politique de revitalisation de la vocation industrielle de Montréal, la Ville ne créera aucun parc industriel dans le quartier Centre-sud. Il y aura cependant le parc industriel Moreau situé à l'est du quartier Centre-sud, dans le quartier Hochelaga-Maisonneuve. En ce qui concerne le programme de coopération industrielle de Montréal (PROCIM), quatre entreprises du quartier en profiteront dans un premier temps. On trouve parmi celles-ci, La Brasserie Molson et McDonald Tobacco qui ne sont pas cependant les entreprises les plus fragiles du quartier.

Ainsi, que ce soit dans le cadre du P.A.Q. Terrasse-Ontario, du P.I.Q.A. Champlain ou de sa politique de développement industriel, la Ville fait peu pour maintenir la vocation industrielle du quartier Centre-sud. Elle y a déjà favorisé le développement d'une vocation tertiaire et c'est toujours sur cette vocation qu'elle semble compter pour regénérer les activités économiques du quartier. D'ailleurs, la proposition préliminaire d'aménagement de la Communauté urbaine de Montréal, adopté par le Conseil de la Communauté en avril 1983, prévoit, pour le quartier Centre-sud, une vocation résidentielle accompagnée d'activités de services, de commerces et de bureaux.

En ce qui concerne les activités économiques, la municipalité se penchera également dans la seconde moitié des années 1970 et au début des années 1980, sur les artères commerciales. Dans le cadre du P.A.Q. Terrasse-Ontario, elle proposera le «renforcement des commerces» du secteur. En 1980, toutefois, le tableau est peu reluisant. En effet, en 1970, il y avait 374 établissements commerciaux dans le secteur. Dix ans plus tard, il y en aura 308, soit une diminution de 18%: les commerces d'alimentation et de vêtement sont particulièrement concernés par cette baisse (Martel, 1980b). Cette diminution du nombre de commerces affecte surtout les deux principales rues commerciales du secteur, les rues Amherst et Ontario. En 1970, elles comptaient respectivement 55 et 151 établissements commerciaux. En 1980, elles n'en comptent plus respectivement que 49 et 109, ce qui représente des baisses de 12% et 39%. Sur les 66 établissements disparus dans le secteur, de 1970 à 1980, 48 étaient situés sur ces deux rues (*Ibid.*). Sur les autres rues, les petits commerces d'appoint et d'épiceries se seraient donc relativement maintenus grâce à la fréquentation soutenue des résidants du secteur, malgré la diminution de population. Cette diminution de population de même que l'arrivée de nouveaux résidants à revenu plus élevé, le vieillissement des établissements commerciaux et la concurrence des centres commerciaux constituent des facteurs ayant contribué au déclin des deux principales rues commerciales du secteur.

Notons qu'au début des années 1980, on compte, dans le quartier Centre-sud, au sud du secteur Terrasse-Ontario, près d'une centaine de boutiques en opération ou en voie de l'être, situées dans deux édifices à bureaux adjacents (Place Dupuis et les Atrium) et desservant principalement les personnes qui y travaillent. Les galeries marchandes se substituent ainsi au commerce de rue.

La municipalité cherchera à réanimer ce commerce de rue en intervenant, dans le quartier Centre-sud, sur la rue Sainte-Catherine, entre les rues Saint-Denis et Delorimier. Cette rue fera en effet l'objet, dans la première moitié des années 1980, du programme de revitalisation des artères commerciales (R.A.C.). Dans le secteur Terrasse-Ontario, la rue Ontario fera aussi l'objet d'une intervention de cette nature. Le programme R.A.C. contribuera sans doute à accélérer le changement de type de commerces que l'on peut déjà observer dans le quartier. Ce changement correspond à la fréquentation du quartier par une nouvelle clientèle composée d'une part, des nouveaux arrivants appartenant aux nouvelles couches moyennes et d'autre part, de ceux et celles qui occupent les nouveaux postes d'emplois tertiaires offerts dans le quartier. À l'été 1984, une enquête révèle que la moitié des commerçants et professionnels de la section de la rue Ontario qui se situe dans le quartier Centre-sud, sont établis sur cette rue depuis moins de cinq ans[28]. Cette enquête indique également que les établissements qui présentent la meilleure situation financière sont les plus récents, lesquels sont mieux adaptés aux besoins de la nouvelle clientèle.

2.4 L'occupation sociale du quartier: dépeuplement, vieillissement et présence accrue de la nouvelle petite bourgeoisie

Au cours des années 1970, l'occupation sociale du quartier Centre-sud et du secteur Terrasse-Ontario subit des modifications notables. La municipalité a pour objectif d'y «consolider la vocation résidentielle» et d'y «maintenir la population existante». Cependant, le quartier se dépeuple et le nombre d'ouvriers diminue. La municipalité cherche aussi à y «permettre l'arrivée d'une population d'apport». Certes, la population du quartier continue de vieillir, mais le quartier accueille de nouveaux résidants, le nombre d'employés, de professionnels et de cadres augmentent. Le deuxième objectif de la municipalité serait donc en partie atteint. Toutefois, l'ensemble de ces changements ne peut être imputable à la seule intervention municipale. Les

---

28. Association des marchands et professionnels de la rue Ontario Centre (août 1984).

autres quartiers périphériques au centre-ville sont aussi affectés par ces changements qui s'inscrivent dans un processus qui dépasse le cadre de l'action municipale. Mais le quartier Centre-sud et le secteur Terrasse-Ontario se distinguent tout de même des autres quartiers centraux.

De 1971 à 1981, le quartier Centre-sud et le secteur Terrasse-Ontario accusent, avec des baisses respectives de 30,9% et 33,7%, une diminution de population similaire à celle des autres quartiers: 28,7% dans Pointe-Saint-Charles, 35,1% dans Saint-Henri et 29,6% dans Saint-Louis[29]. Notons que la population de la ville de Montréal diminue pendant cette période de plus de 19,3%. La ville continue donc à se dépeupler et les vieux quartiers centraux sont la principale cible de ce mouvement.

Toutefois, de 1976 à 1981, les baisses de population de 10,6% et 8,7% que connaissent respectivement Centre-sud et Terrasse-Ontario sont moindres que celles subies dans les autres quartiers, soit 12,3% dans Pointe-Saint-Charles, 17,9% dans Saint-Henri et 17,0% dans Saint-Louis. Le mouvement de dépopulation des vieux quartiers centraux est donc ralenti au cours de cette seconde moitié de la décennie, mais de façon plus marquée dans Centre-sud et encore plus dans Terrasse-Ontario. Ce secteur connaît même une baisse de population plus faible que celle de l'ensemble de la ville, soit 8,7% contre 9,3%.

La diminution du nombre de ménages est moins importante dans ces quartiers que la baisse de population. Par exemple, le quartier Centre-sud perd, de 1971 à 1981, 9,9% de ses ménages contre 30,9% de sa population. Au cours de cette période, le nombre de ménages connaît même une hausse de 3,8% à Montréal. Il y a donc une augmentation du nombre de petits ménages. C'est le secteur Terrasse-Ontario qui subit, entre 1971 et 1981, la plus importante diminution du nombre de ménages, soit une baisse de 15,6%. Entre 1976 et 1981, période au cours de laquelle la municipalité met en œuvre, dans ce secteur, un programme d'amélioration de quartier, la perte de ménages est moins importante (-6,1%) qu'entre 1971 et 1976 (-10,1%). Cependant, c'est encore Terrasse-Ontario qui accuse, durant cette période, la plus forte perte de ménages. Entre 1976 et 1981, deux quartiers, soit Pointe-Saint-Charles et Saint-Henri, voient même le nombre de leurs ménages augmenté,

---

29. L'étude des modifications de l'occupation sociale de ces quartiers s'appuie sur des compilations faites à partir des données des recensements de 1971, 1976 et 1981 de Statistique Canada (voir les tableaux I, II et III en annexe). Il est à noter que nous avons choisi comme limites de ces quartiers, celles définissant les territoires des Centres locaux de services communautaires. De plus, les données concernant Terrasse-Ontario sont approximatives, les limites des secteurs de recensement ne correspondant pas exacement à ses limites.

avec des taux respectifs de 2,6% et de 1,2%, le nombre de ménages s'accroissant alors de 1,0% dans l'ensemble de la ville.

De 1971 à 1981, le groupe d'âges des 19 ans et moins diminue dans le quartier Centre-sud et le secteur Terrasse-Ontario, alors que celui des 65 ans et plus augmente. C'est un phénomène que l'on observe dans les autres quartiers centraux et dans l'ensemble de la ville (voir le tableau II en annexe). Toutefois, ce sont Centre-sud et Terrasse-Ontario qui présentent toujours, à la fin des années 1970, la plus faible proportion de personnes âgées de 0 à 19 ans et le plus fort pourcentage de résidants âgés de 65 ans et plus. Ainsi, le processus de vieillissement de la population affecte Centre-sud comme les autres quartiers centraux et l'ensemble de la ville, mais le phénomène de vieillissement y reste plus marqué.

Au cours des années 1970, la structure socio-professionnelle du quartier Centre-sud et du secteur Terrasse-Ontario se modifie. La petite bourgeoisie professionnelle[30] qui représente, en 1971, 8,4% des résidants du quartier et 8,6% de la population du secteur voit, en 1981, sa représentation augmenter à 16,3% dans le quartier et à 18,3% dans le secteur[31]. Quant aux employés du tertiaire[32] qui constituent, en 1971, le plus important groupe professionnel du quartier et du secteur, leur proportion reste la même en 1981: autour de 49% pour l'ensemble du quartier et de 51% pour le secteur Terrasse-Ontario. Ce dernier groupe présente toutefois une nette tendance à la féminisation. En effet, de 1971 à 1981, le nombre de femmes employées du tertiaire augmente de 16,7% dans le quartier, alors que le nombre d'hommes employés du tertiaire y diminue de 7,8%. On n'observe pas la même tendance en ce qui a trait à la petite bourgeoisie professionnelle du quartier. Certes, de 1971 à 1981, le nombre de femmes y connaît une hausse de 57,0%, mais le nombre d'hommes y connaît une hausse encore plus importante, soit de 130,2%[33].

Quant aux ouvriers[34], ils représentent, en 1971, 26,4% de la population du quartier Centre-sud et 24,6% des résidants du secteur Terrasse-Ontario. En 1981, leur importance relative diminue, leur proportion passant à

---

30. Nous avons inclus dans cette classe les catégories statistiques suivantes: enseignement, médecine et santé, professions techniques, sociales, religieuses et artistiques.
31. Ces pourcentages se rapportent à la population occupant un emploi.
32. Ces travailleurs comprennent les catégories statistiques suivantes: employés de bureau, travailleurs spécialisés dans la vente, travailleurs spécialisés dans les services et personnel d'exploitation des transports.
33. Compilation sur la base des données de Statistique Canada, recensement de 1981.
34. Il s'agit des catégories statistiques suivantes: travailleurs des industries de transformation, usineurs et travailleurs spécialisés dans la fabrication, le montage et la réparation de produits, et travailleurs du bâtiment.

22,2% dans le quartier et à 17,8% dans le secteur. Dans le secteur Terrasse-Ontario, zone privilégiée de l'intervention municipale au cours des années 1970, la représentation des ouvriers (17,8%) devient donc moins importante que celle de la petite bourgeoisie professionnelle (18,3%). Cette diminution de la représentation des ouvriers, jointe à l'augmentation de celle de la petite bourgeoisie professionnelle, ne fait pas pour autant du quartier Centre-sud un quartier à statut social élevé: Centre-sud demeure un quartier à statut social très bas (Mayer-Renaud, 1986). En 1980, le revenu total moyen[35] des hommes et des femmes y est de beaucoup inférieur à celui des hommes et des femmes de la région de Montréal (respectivement de 9400$ et 6650$ contre 17 142$ et 9091$); une portion importante des résidants et résidantes du quartier, exclue du marché du travail, ne compte que sur des prestations pour vivre (Centre Saint-Pierre, 1984, p. 19).

La présence accrue de la petite bourgeoisie professionnelle, sur cette toile de fond d'un quartier à statut social toujours très bas, est un phénomène à souligner. Il est l'expression d'un processus d'hétérogénéisation de la population du quartier. Cette présence accrue est encore plus remarquable si on considère non seulement l'augmentation de la proportion des professionnels, mais aussi l'augmentation de leur nombre. En effet, de 1971 à 1981, ce nombre s'accroît de 92,8% dans le quartier Centre-sud et de 121,9% dans le secteur Terrasse-Ontario. Pendant cette période, le nombre d'ouvriers diminue de 16,8% dans le quartier et de 24,6% dans le secteur. Quant aux employés du tertiaire, leur nombre augmente de moins de 1% dans le quartier et de 5,8% dans le secteur (voir le tableau 2).

Les autres quartiers centraux et, dans une moindre mesure, l'ensemble de la ville de Montréal connaissent semblables mutations, mais de façon moins accentuée que Centre-sud et Terrasse-Ontario, à l'exception de Saint-Louis où l'augmentation du nombre de professionnels et la baisse du nombre d'ouvriers se rapprochent de ce que l'on peut observer dans Centre-sud. Quant au nombre d'employés du tertiaire, il présente partout des variations peu significatives, sauf dans Saint-Henri où il diminue de 11,7% entre 1971 et 1981.

2.5 L'intervention municipale et la dynamique du quartier

Au cours des années 1970, le quartier Center-sud, et plus particulièrement le secteur Terrasse-Ontario, a donc subi diverses transformations: sa position dans l'espace montréalais a changé, son stock de logements revêt un

---

35. Le revenu total moyen correspond au revenu moyen de l'ensemble de la population de 15 ans et plus, ce revenu pouvant provenir d'un emploi ou de prestations (assurance chômage, assistance sociale, pension de vieillesse, ...).

TABLEAU 2

Variation du nombre de professionnels,
d'ouvriers et d'employés du tertiaire:
quartiers périphériques au centre-ville de Montréal
1971-1981
(Hommes et Femmes)

	Centre-sud (%)	Terrasse-Ontario (%)	Pointe Saint-Charles (%)	Saint-Henri (%)	Saint-Louis (%)	Montréal (Ville) (%)
Petite bourgeoisie professionnelle	+92,8	+121,9	+20,9	+72,6	+98,5	+36,5
Ouvriers	-16,8	-24,6	-13,6	-5,3	-14,3	+0,3
Employés du tertiaire	+0,7	+5,8	-2,7	-11,7	+1,5	+2,8

Source: Compilation à partir des données de Statistique Canada, recensements de 1971 et 1981 (voir le tableau III en annexe).

nouvel aspect, son occupation sociale est en mutation, l'espace de consommation et de travail qu'il constitue s'est modifié. La municipalité y est intervenue, son intervention a-t-elle infléchi ces changements?

En ce qui concerne le repositionnement du quartier par rapport au centre-ville, voire à l'ensemble de la ville, il a certes été enclenché, avant cette décennie, par les opérations de redéveloppement visant à faire de Centre-sud, une zone à la fois d'accès au centre-ville et d'extension de celui-ci. La municipalité a participé à cette ouverture du quartier et à la tertiarisation de sa fonction économique par les importants travaux d'infrastructure qu'elle y a réalisés et par son appui à l'implantation, sur son territoire, d'édifices à bureaux.

Quant au nouvel attrait de Centre-sud pour la petite bourgeoisie professionnelle, la municipalité y a sans doute aussi contribué. Elle a favorisé l'ouverture du quartier sur la ville et sa tertiarisation. Elle y a incité la restauration des vieux logements et construit, par le biais de la SOMHAM, des logements pour personnes à revenus moyens. Elle a de plus mené des actions visant à embellir le quartier. Sans pareille intervention de la Ville, Centre-sud aurait-il pu attirer ces nouveaux résidants? Possiblement, puisque la proximité des emplois offerts au centre-ville, la valorisation symbolique des quartiers anciens, les modifications dans la composition des ménages, l'augmentation du coût des transports, la hausse du prix d'accès aux logements neufs qui sont des facteurs ayant contribué à l'arrivée d'une nouvelle population dans le quartier, ne sont pas nécessairement liés à l'intervention municipale dans Centre-sud. Toutefois, l'intervention municipale a certes pu accélérer les mutations sociales que le quartier a connues, ces mutations étant plus accentuées dans Centre-sud et, encore plus, dans le secteur Terrasse-Ontario, que dans les autres quartiers centraux.

L'intervention de la Ville ne consistait pas seulement à attirer des représentants des nouvelles couches moyennes dans le quartier. Certes, la municipalité comptait les voir réintégrer la vieille ville. Cependant, il lui fallait aussi répondre à la demande des couches populaires. Cette demande semble avoir davantage été comblée, en partie, par la construction de H.L.M. plutôt que par l'incitation à la restauration privée. En effet, la restauration privée résidentielle est loin d'avoir été une opération à vocation sociale. La vocation sociale du parc ancien restauré a surtout été assurée par les coopératives d'habitation, financées en grande partie par les gouvernements fédéral et provincial.

En ce qui a trait à la diminution des ménages de Terrasse-Ontario, la municipalité se trouve confrontée à une situation contradictoire par rapport à son objectif de consolidation de la vocation résidentielle de ce secteur. Elle y a mis en œuvre un programme d'amélioration de quartier (P.A.Q.), y a stimulé la restauration résidentielle et y a construit de nouveaux logements (par le biais de l'O.M.H.M. et de la SOMHAM) et le secteur continue tout de même de perdre des ménages. On a souligné le bilan négatif des constructions – démolitions dans le secteur, bilan négatif auquel, paradoxalement, la municipalité a participé par le biais de l'application du Code du logement et ses subventions à la démolition – déblaiement. Encore ici donc, la municipalité a joué un rôle marquant. Il ne faut cependant pas ignorer le rôle des propriétaires des logements démolis, forcés de le faire à cause de l'application du Code du logement, voulant spéculer sur la valeur ajoutée à leur(s) terrain(s) par la revalorisation du quartier, sans défrayer les coûts d'entretien et les taxes rattachés à ce(s) logement(s) et/ou projetant de construire des édifices plus rentables. Et il y a aussi les nombreux incendies (accidentels et non-accidentels) qui ont fait une partie du travail des démolisseurs... Toutefois, rappelons que le secteur Terrasse-Ontario a connu un ralentissement de la chute du nombre de ses ménages durant la période de mise en œuvre du P.A.Q. (1976-81). Cependant, ce phénomène s'est aussi manifesté sur l'ensemble du quartier Centre-sud. De plus, deux quartiers adjacents au centre-ville, soit Pointe-Saint-Charles et Saint-Henri, ont connu au cours de cette même période une augmentation du nombre de leurs ménages, comme d'ailleurs l'ensemble de la ville...

Le vieillissement de la population du secteur Terrasse-Ontario, on l'a vu, trouve une expression dans la réaffectation et la fermeture d'écoles. Mais ces phénomènes ne sont pas seulement les expressions mais aussi les conditions de ce vieillissement. En effet, ils ne seront pas sans dissuader certains ménages avec enfants de s'établir dans le secteur. Ainsi, les décisions de la Commission des écoles catholiques de Montréal relativement à ces écoles sont-elles en contradiction avec le projet municipal visant la consolidation de la fonction résidentielle du secteur, contradiction d'ailleurs soulevée par le comité de parents. Le secteur Terrasse-Ontario et le quartier Centre-sud demeurent, à la fin des années 1970, des territoires à population plus âgée que celle des autres quartiers périphériques au centre-ville.

Quant au Centre local de services communautaires implanté dans le secteur Terrasse-Ontario et qui n'est pas sans effet sur la vie sociale du quartier, sa mise sur pied n'est pas directement liée à l'intervention municipale mais à celle du gouvernement québécois. De plus, un très grand nombre de nouveaux services qui sont offerts dans le secteur et le quartier, le sont, non par la municipalité, mais par des organismes populaires. Il s'agit de services à caractère communautaire comme les garderies, la coopérative d'alimentation, les organisations de loisirs pour les jeunes... Ces services ont été mis sur pied avec l'aide de subventions des gouvernements fédéral et provincial.

En ce qui concerne la perte d'emplois industriels dans le quartier, perte qui a sans doute également contribué à la diminution de population, c'est un phénomène sur lequel la municipalité a peu de prise. Toutefois, malgré ce peu de maîtrise qu'elle peut avoir sur l'économie, la municipalité a tout de même mis sur pied une Commission d'initiative et de développement économique et a entrepris la création, sur son territoire, de parcs industriels, mais aucun dans le quartier Centre-sud. En fait, ce quartier avait été promu, dans les années 1960, à une vocation tertiaire et la municipalité, au cours des années 1970, compte toujours sur cette vocation pour le revitaliser.

Enfin, l'intervention municipale sur une des artères commerciales du secteur Terrasse-Ontario menée au début des années 1980 a été engagée très tardivement puisque cette artère (rue Ontario) avait déjà perdu depuis le début des années 1970, près de 40% de ses commerces, alors que le secteur en avait perdu 20%, et qu'un nouveau pôle commercial se développait à sa périphérie sud sous la forme de galeries marchandes.

Ainsi, plusieurs éléments de la dynamique du quartier échappent à la maîtrise municipale. D'autres acteurs sont présents dans le quartier et contribuent à en façonner le devenir: propriétaires fonciers, commerçants, industriels, promoteurs, organismes populaires, commission scolaire, gouvernements fédéral et provincial ... Cependant, même si elle ne contrôle pas cette dynamique du quartier, la Ville s'y est tout de même impliquée pour favoriser certains compromis orientés: le quartier reste une zone résidentielle pour les couches populaires mais devient également une zone résidentielle pour les nouvelles couches moyennes; il perd sa vocation industrielle mais se voit doté d'une nouvelle vocation tertiaire à laquelle se rattachent ces nouvelles couches moyennes mais aussi certaines fractions des couches populaires (employés de bureau et travailleurs dans la vente et les services dont la proportion est très importante dans le quartier). Comme le souhaitait la Ville, le quartier Centre-sud se revalorise symboliquement, socialement et économiquement. Cette revalorisation touche d'abord, au cours des années 1970, le secteur Terrasse-Ontario. Elle affecte ensuite, au début des années 1980, le secteur Champlain, situé entre le secteur Terrasse-Ontario et la Maison de Radio-Canada, dans la partie ouest du quartier. Et elle commence à se faire sentir dans la partie est du quartier avec quelques implantations tertiaires d'importance (ministère de l'Éducation, Radio-Québec, Confédération des syndicats nationaux, ...) et deux projets de mise en œuvre du programme municipal d'intervention dans les quartiers anciens (P.I.Q.A. Dufresne-Nord et P.I.Q.A. Dufresne-Sud).

Chapitre 3

L'INTERVENTION MUNICIPALE DANS LE QUARTIER CENTRE-SUD À SHERBROOKE

Le quartier Centre-sud est un vieux quartier de Sherbrooke: au début du XXe siècle, une importante partie du quartier est déjà construite, tandis que les quartiers Nord, Est et Ouest actuels ne sont qu'espaces champêtres.

Situé au centre-ville, au sud du centre des affaires (C.D.A.), il est limité au nord par la rue King, une des principales artères de la ville, au sud par la rue Galt, sise au pied d'une forte pente, à l'est par la rivière Saint-François et à l'ouest par la rue Belvédère, important axe de circulation. Il compte en 1971, 3886 habitants, soit 4,8% de la population de la ville.

Au cours des années 1960, le centre-ville de Sherbrooke devient un espace obsolète: ses activités économiques sont en perte de vitesse; la population diminue, vieillit et s'appauvrit; le cadre bâti est dégradé. À compter du début des années 1970, la municipalité entreprend alors d'agir sur le centre-ville. Elle intervient d'abord sur le centre des affaires afin d'en favoriser la réanimation, puis sur le quartier Centre-sud en mettant de l'avant les objectifs suivants: «conservation de sa fonction résidentielle», «maintien sur place de ses occupants» et «apport d'une nouvelle population». Deux programmes d'amélioration de quartier prévoyant la restauration du vieux parc résidentiel, la construction de H.L.M. et l'amélioration du cadre de vie sont mis en œuvre dans ce quartier. De plus, au début des années 1980, la municipalité lance un programme d'action visant l'ensemble du territoire du centre-ville, incluant le quartier Centre-sud.

1. LA VILLE ET LE QUARTIER: ENJEUX LOCAUX ET STRATÉGIES MUNICIPALES

Le déclin du centre-ville sur les plans économique, démographique et physique et la demande de logements provenant de certaines couches sociales conduiront la municipalité de Sherbrooke à intervenir, au cours des années 1970, dans le quartier Centre-sud.

1.1 La revitalisation du centre-ville et l'amélioration du quartier Centre-sud

Traditionnellement, le centre-ville de Sherbrooke regroupait des activités commerciales et de services dont le rayonnement était non seulement local mais aussi régional. Cependant, avec l'important développement résidentiel que connaît Sherbrooke au cours des années 1950 et 1960, ces activités se déploient sur les principales artères de la ville, notamment sur la rue King. De plus, durant les années 1960, une grande partie de la clientèle locale et régionale se trouve drainée par les centres commerciaux dont le plus important est le Carrefour de l'Estrie, centre commercial régional qui regroupe, en 1973, une centaine de locaux commerciaux. Les commerçants du centre-ville subissent ainsi une double concurrence qui va affecter leur chiffre d'affaires d'autant plus que la clientèle résidant au centre-ville diminue, vieillit et s'appauvrit: de 1961 à 1971, la population du centre-ville décroît de 28,6%, alors que celle de l'ensemble de la ville augmente de 22,4%; en 1971, 25,3% des résidants du centre-ville sont âgés de 55 ans et plus comparativement à 15,5% pour l'ensemble de la ville; en 1971, enfin, 7,5% de la population active du centre-ville est en chômage et 48,1% occupe un emploi d'ouvrier non-spécialisé (C.R.I.U., 1974a).

Face à ce déclin du centre-ville, la municipalité annonce, au début des années 1970, son intention d'intervenir afin de contribuer à sa revitalisation. Ce projet n'est bien sûr pas étranger à la pression des commerçants du centre qui se sont constitués en association: l'Association des marchands du centre-ville. De plus, une Corporation du centre-ville, rassemblant les propriétaires et certains marchands du secteur de la rue Wellington, principale artère commerciale du centre-ville, est également mise sur pied.

Le déclin du centre-ville, en voie de devenir le quartier des pauvres, va à l'encontre des intérêts des commerçants et présente aussi une image ternie de cette ville, capitale régionale. De plus, ce déclin signifie une perte pour le Trésor municipal, car il s'accompagne d'une baisse des valeurs des propriétés (bâtiments dégradés, logements vacants...) qui implique une diminution de l'impôt foncier, principale source de revenu de la municipalité: l'assiette fiscale du centre-ville est proportionnellement beaucoup plus élevée que celle du territoire municipal, les valeurs immobilières y étant quatre fois supérieures à celles de l'ensemble de la ville (Boisvert, 1982, p. 7). Le dépérissement du centre-ville a donc des conséquences à la fois économique, symbolico-politique et fiscale. La municipalité se doit donc d'intervenir.

Le premier projet avancé par la municipalité est le raffermissement de la fonction tertiaire du centre-ville. Elle commande, à cet effet, une étude à un bureau d'architectes de Montréal. Dans son rapport (Surveyer *et al.*, 1973), le consultant énumère les diverses activités qui pourraient être implantées au centre-ville: services municipaux, édifices à bureaux, équipements culturels et sportifs, maisons d'enseignement, établissements de santé, services financiers, hôtels, immeubles à appartements multiples, restaurants, bars, cinémas, et commerces variés. Il propose d'abord la construction d'un nouvel hôtel de ville au centre-ville, sur le Plateau Marquette, lequel surplombe la rue Wellington où se trouve le vieil hôtel de ville et ce, dans le but d'étendre et de décongestionner le centre des affaires concentré sur cette rue. Cependant, les commerçants de la rue Wellington s'y opposent, car ils voient dans ce projet le début de la création d'un second pôle de développement au centre-ville qui viendrait concurrencer celui de cette rue. Par suite de leurs pressions, le projet est mis sur les tablettes. Toutefois, il ne sera pas abandonné par la Division d'urbanisme de la municipalité et figure toujours, une dizaine d'années plus tard, soit au début des années 1980, dans ses plans de redéveloppement du centre-ville.

Parallèlement à cette étude, une autre, également commandée par la municipalité, est aussi menée par un bureau d'architectes de Montréal. Elle porte sur le réaménagement de la rue Wellington et recommande la construction d'un semi-mail couvert sur cette rue de même que sur une partie de la rue King qui lui est perpendiculaire (Sunderland et al., 1973). Cette recommandation est accueillie favorablement par les commerçants du secteur et sera entérinée par le Conseil municipal. Ce projet sera réalisé par la municipalité avec le concours financier des commerçants au moyen d'une taxe spéciale équivalente au tiers des investissements. Le semi-mail recouvert d'une marquise est inauguré en 1975. Deux ans plus tard, la municipalité conclut à la réussite du projet:

> Si les années 1970 ont été caractérisées par un exode et un ralentissement des activités commerciales dans le centre-ville, les statistiques nous prouvent aujourd'hui que depuis le 25 novembre 1975, date où on a inauguré le semi-mail du Centre-ville, l'axe King-Wellington est redevenu un pôle d'attraction et un centre dynamique d'activités commerciales et économiques. (Sherbrooke, 1977)

Un montant de 2,3 millions de dollars aura été investi pour la réalisation du projet et deux ans plus tard, des investissements de plus de 4 millions auront été générés, 232 nouveaux postes d'emploi créés et le surplus de taxes locales (municipales et scolaires) s'élèvera à 97 000$ par année (Ibid.). L'opération aura été rentable pour la municipalité. Elle satisfera également les commerçants qui profiteront du nouveau dynamisme du C.D.A.. Enfin, elle permettra d'en revaloriser l'image.

Toutefois, ce nouveau dynamisme du centre des affaires contraste avec l'appauvrissement et la dégradation du quartier Centre-sud, espace résidentiel du centre-ville. D'ailleurs, en 1973, la municipalité avait fait une demande à la Société d'habitation du Québec en vue de l'implantation d'un programme de rénovation urbaine au centre-ville. Cependant, en cette même année, le programme de rénovation urbaine était aboli par le gouvernement fédéral et remplacé par le programme d'amélioration de quartier. En fait, la municipalité avait formulé cette demande dans le but d'obtenir des fonds des gouvernements supérieurs, mais ne souhaitait pas engager une opération de démolition – reconstruction dans Centre-sud, pareille opération étant en train d'être réalisée à l'est du centre-ville, dans le quartier Saint-François, non sans quelques problèmes: 416 logements devaient être démolis, ce qui soulevait l'opposition des résidants, mais finalement, seulement 197 furent effectivement rasés. De plus, 760 nouveaux logements devaient être construits, mais les mises en chantier tardaient, et seulement 198 nouveaux logements furent, de fait, construits. Enfin, la municipalité devait faire un gain de 385 304$ à la fin de l'opération (La Haye et ass., nov. 1969) grâce, notamment, aux recouvrements en taxes, mais elle dépensait (démolition – déblaiement – aménagement de terrains) et les nouveaux investissements se faisaient attendre; à la clôture du dossier en 1981, l'opération se soldait par un déficit de 479 154$[1], déficit embêtant pour une municipalité qui se présente comme un bon gestionnaire des fonds publics et qui, pour le combler, devra peut-être augmenter son taux de taxation, ce qui s'avère impopulaire.

En plus de mettre l'accent sur le redéveloppement des fonctions commerciales et institutionnelles du centre-ville, la municipalité cherche également à y redévelopper la fonction résidentielle. Ce projet est conforme à la proposition du Centre de recherche et d'innovations urbaines (C.R.I.U.) à qui elle avait confié une autre étude portant sur la revitalisation du centre-ville (C.R.I.U., janvier 1974). Il s'agit d'atténuer, voire de corriger, l'opposition C.D.A. en voie de redéveloppement – Centre-sud en voie de dégradation. Il s'agit aussi, après avoir répondu à la demande des commerçants en intervenant sur le C.D.A., de répondre à la demande des résidants de Centre-sud par une intervention dans leur quartier. La municipalité se doit d'aménager un certain compromis: tertiarisation du centre-ville au profit des commerçants, mais aussi maintien et raffermissement de sa fonction résidentielle au bénéfice, entre autres, des occupants (mais aussi des commerçants car ces occupants représentent une partie de leur clientèle). Les programmes d'amélioration de quartier qui seront mis en œuvre dans le quartier Centre-sud (plutôt qu'un programme de rénovation urbaine), auront pour but d'y améliorer la qualité de vie des résidants par la restauration des vieux logements, la construction de nouveaux logements et des actions sur les équipements publics. Toutefois, tout en visant le maintien sur place des occupants, ces programmes auront aussi pour objectif l'apport d'une nouvelle population et, plus particulièrement, d'une nouvelle population à revenu plus élevé. Autre com-

---

1. Information recueillie auprès de la Division de l'habitation, Ville de Sherbrooke, octobre 1981.

LE QUARTIER CENTRE-SUD À SHERBROOKE: UNE VOCATION RÉSIDENTIELLE

PHOTO 5

PHOTO 6

promis donc: vocation résidentielle du quartier Centre-sud pour les couches populaires, mais aussi pour certaines fractions des couches moyennes. Ces dernières constituent une clientèle plus solvable pour les commerçants, contribuent à la revalorisation de l'image du quartier et sont également consommatrices de patrimoine urbain.

1.2 La consolidation de la fonction résidentielle de la ville et la réhabilition du parc ancien de Centre-sud

En 1975, on prévoit qu'entre 1971 et 1981, 7813 nouveaux ménages se formeront sur le territoire de la ville de Sherbrooke, ce qui représente un besoin de 9688 nouveaux logements compte tenu du nombre élevé de ménages non-familiaux et des logements qui seront démolis (Chung, 1975, p. 10). Or, au début des années 1970, la construction domiciliaire dans la région de recensement de Sherbrooke connaît un sérieux ralentissement qui laisse entrevoir un manque de nouveaux logements. La consolidation du parc résidentiel existant représente alors un moyen de combler ce manque. Toutefois, de 1971 à 1981, 10 574 nouveaux logements seront finalement mis en chantier dans la région de recensement de Sherbrooke, laquelle déborde le territoire de la ville, ce que ne laissait cependant pas présager le nombre de mises en chantier en 1973, 1974, 1975 et 1976 (Québec, 1984, p. 147), 1976 étant l'année d'adoption par le Conseil municipal de la première phase du programme d'amélioration de quartier mis en œuvre dans Centre-sud.

La municipalité a tout de même intérêt à consolider son stock de logements et à y attirer de nouveaux ménages, et notamment de jeunes ménages familiaux, car sa population diminue alors que celle des municipalités voisines augmente. Ainsi, de 1971 à 1976, la ville de Sherbrooke perd 4,8% de sa population, alors que celle de Fleurimont augmente de 147,1%, celle de Rock Forest, de 75,6%, celle d'Ascot, de 68,8%, celle de Saint-Éli-d'Orford, de 45,3%, celle de Saint-Denis de Brompton, de 36,6%, et, enfin, celle de Stoke, de 23,9% (O.P.D.Q., 1978, p. 40). Il y a donc un rapport de force démographique qui bascule en faveur des municipalités périphériques.

Il y a aussi un autre problème auquel doit faire face la municipalité de Sherbrooke: en 1971, plus de 50% des travailleurs de six municipalités voisines occupent un emploi à Sherbrooke même (*Ibid.*, p. 79). C'est donc dire que la municipalité doit défrayer d'importants coûts en équipements et services pour accueillir ces travailleurs, lesquels, cependant, payent des taxes dans leur municipalité de résidence. Certes, ce manque à gagner peut être compensé, en partie, par la présence d'établissements industriels et d'édifices à bureaux dont les valeurs immobilières sont plus élevées que celles des immeubles résidentiels, mais il n'en demeure pas moins qu'il y a là une «mau-

vaise répartition des coûts et usages des équipements du centre urbain»,
comme le souligne l'Office de planification et de développement du Québec
(*Ibid.*, p. 79). En raffermissant la vocation résidentielle de son territoire, la municipalité de Sherbrooke contribuerait ainsi à amoindrir ce déséquilibre.

La consolidation de la fonction résidentielle de la ville de Sherbrooke
répond donc à trois objectifs: satisfaire la demande de logements; augmenter
le nombre de résidants pour faire contre-poids à l'augmentation du nombre
d'habitants dans les municipalités périphériques; augmenter le nombre de
contribuables qui payent des taxes locales afin de rentabiliser les équipements et services municipaux.

La consolidation de cette fonction résidentielle passe, entre autres,
par la conservation et la réhabilitation du parc existant, notamment celui du
centre-ville. Au début des années 1970, plus de 50% des logements y ont été
construits avant 1920. En 1971, 12,8% des logements n'y ont aucune entrée
d'eau sinon pas d'eau chaude contre 5,5% dans l'ensemble de la ville; 9,8%
n'ont qu'un usage partagé d'un bain ou d'une douche ou aucune installation
de ce type contre 3,1% dans l'ensemble de la ville; 4,2% n'ont qu'un usage
partagé des toilettes ou même aucun contre 1% dans l'ensemble de la ville;
enfin, le nombre moyen de pièces par logement y est de 4, alors qu'il est de 4,8
dans l'ensemble de la ville. Les mauvaises conditions des logements du centre-ville (par rapport à la qualité de l'ensemble des logements de la ville) sont
certes peu attrayantes pour de nouveaux résidants. D'ailleurs, en 1971, 17%
des logements y sont vacants alors que le taux de vacance pour l'ensemble
des logements de la ville est de 7% (C.R.I.U., 1974c). La restauration du stock
de logements du quartier Centre-sud est donc nécessaire. Elle l'est pour y attirer une nouvelle population appartenant aux couches moyennes, mais aussi
pour répondre à la demande sociale des couches populaires à l'égard du parc
H.L.M. qui ne peut y suffire. En 1973, l'Office municipal d'habitation
(O.M.H.) de Sherbrooke gère 284 logements, mais il y a encore une liste d'attente de 289 ménages; en 1981, l'O.M.H.S. administrera 665 logements, mais
la liste d'attente sera passée à 1000 ménages. L'O.M.H.S. est donc débordé.
La restauration du parc ancien pourrait alors suppléer à l'insuffisance de l'offre H.L.M. L'intervention de la municipalité sur le quartier Centre-sud, le
plus important secteur résidentiel du centre-ville, viserait ainsi à aménager ce
compromis auquel nous faisions allusion précédemment: vocation du parc
résidentiel du quartier pour les couches moyennes mais aussi pour les couches populaires, la municipalité soulignant que: «la restauration ne doit pas
avoir pour effet d'évacuer systématiquement les occupants originaux vers
d'autres logements» (Sherbrooke, 1978, p. 65).

1.3 La revalorisation du quartier du Centre-sud: les stratégies municipales

L'intervention de la municipalité de Sherbrooke sur le quartier Centre-sud se situe dans le cadre d'un projet de réanimation du centre-ville dont ce quartier fait partie. Comme on l'a vu précédemment, la Ville fait d'abord porter son action sur le centre des affaires avec un type d'intervention initié au niveau local. Puis, elle applique sur le quartier Centre-sud un programme relevant des paliers supérieurs de gouvernement: le programme d'amélioration de quartier (P.A.Q.). Enfin, la Ville lancera son propre programme d'intervention sur le centre-ville, programme dont certains volets toucheront le quartier Centre-sud.

1.3.1 *L'utilisation d'un programme fédéral – provincial: les P.A.Q., phases I et II*

En juin 1973, la Ville de Sherbrooke fait parvenir à la Société d'habitation du Québec (S.H.Q.) un document élaboré par sa Division d'urbanisme concernant l'application d'un programme de rénovation urbaine dans le centre-ville. Il s'agit pour la municipalité, comme nous le notions plus haut, d'aller chercher des fonds dans le cadre d'un programme gouvernemental existant afin de financer la revitalisation du centre-ville. Mais la S.H.Q. ne donne pas suite à ce document, le programme de rénovation urbaine venant d'être aboli par le gouvernement fédéral.

En 1974, la Division de l'urbanisme, alimentée par les études du C.R.I.U., reformule sa proposition de réaménagement du centre-ville, mais cette fois, dans le cadre du nouveau programme d'amélioration de quartier. Cette dernière proposition est adoptée par le Conseil municipal et, de nouveau, acheminée à la S.H.Q. à des fins de subventions. Le périmètre d'intervention envisagé par la Division d'urbanisme dans le cadre de cette proposition (Sherbrooke, 1974) est un peu plus large que celui défini par le C.R.I.U. Il s'étend, au sud, jusqu'à la rue Short, surtout à cause des problèmes qui y ont été constatés en matière d'habitat. Trois secteurs d'intervention sont délimités (voir la carte 4), les secteurs 2 et 3 faisant partie du quartier Centre-Sud.

L'intervention dans le secteur 1 consisterait, sur le plan de l'habitation, en la démolition – reconstruction de bâtiments, la restauration de logements et la construction de logements pour personnes âgées; sur le plan des espaces verts et communautaires, en la récupération et le réaménagement des berges de rivières, la récupération d'espaces industriels à des fins communautaires et la création d'un lien piétonnier entre le Plateau Marquette et la Plaza Wellington. L'intervention dans le secteur 2 comprendrait, sur le plan de l'habitation, la démolition – reconstruction de bâtiments et la restauration de logements, et sur le plan des espaces verts et communautaires, la relocalisation de voies ferrées et la création d'espaces verts. Enfin, quant à l'intervention dans le secteur 3, il s'agirait, sur le plan de l'habitation, de restaurer des logements et, sur le plan des espaces verts et communautaires, de déplacer et relocaliser une cour de triage et de récupérer et réaménager des berges de rivières. La Division de l'urbanisme compte ainsi pour renforcer la vocation résidentielle du centre-ville, surtout sur la restauration des logements et la récupéraiton d'espaces à des fins communautaires.

Cependant, cette proposition de réaménagement dans le cadre du programme d'amélioration de quartier est retournée à la municipalité par la S.H.Q. qui exige un document plus précis avec un territoire d'intervention moins large. En mars 1975, la Division d'urbanisme produit un autre rapport intitulé *Programmes d'amélioration de quartier et de dégagement de terrain: nouvelle aire de réaménagement*. Cette nouvelle aire est constituée par la partie sud du centre-ville, le quartier Centre-sud, secteur à vocation résidentielle. Le bâti n'y est pas en bon état mais tout de même en meilleur état que celui du secteur 1, plus au nord.

En septembre 1975, la S.H.Q. annonce à la municipalité qu'elle a été retenue dans sa programmation de 1975 et que des fonds lui seront octroyés pour l'élaboration d'un programme détaillé. Toutefois, par suite des avis du coordonnateur de la S.H.Q., la Division d'urbanisme élaborera deux programmes d'amélioration de quartier (P.A.Q.), le découpage en deux zones d'intervention (voir la carte 4) devenant nécessaire en raison de l'enveloppe budgétaire limitée de la première programmation. Le P.A.Q. Phase I sera adopté par le Conseil municipal et soumis à la S.H.Q. en 1976, et le P.A.Q. Phase II le sera en 1978. L'objectif annoncé est le suivant: «rehausser la qualité de vie des résidants (...) en leur donnant des services et des équipements de meilleure qualité de même qu'en rehaussant de façon générale l'état des logements» (Sherbrooke, 1976b, p. i).

En se prévalant de ce programme, la municipalité répond également à un autre objectif: aller chercher le maximum de financement auprès des gouvernements supérieurs afin, notamment, d'intervenir en quartiers anciens. Ainsi, le maire déclare-t-il, en mai 1976, que: «L'important pour la Ville, c'est de profiter au maximum de tous les programmes gouvernementaux (...) et surtout de permettre la survie ou de prolonger la vie de certains quartiers.»[2]

---

2. *La Tribune*, Sherbrooke, 22 mai 1976.

CARTE 4

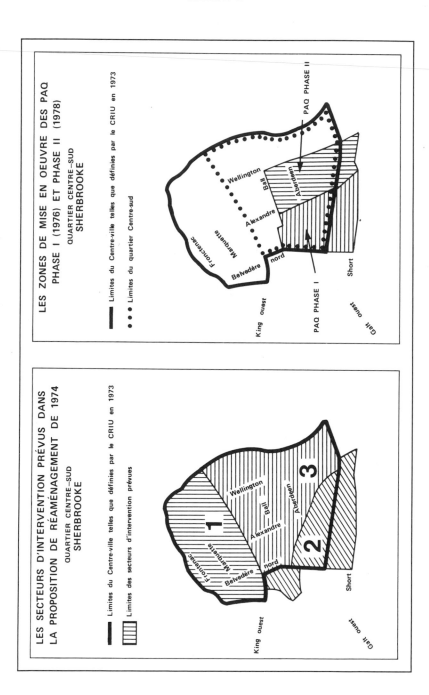

1.3.2 *L'instauration d'un programme propre à la ville: «Un centre-ville à vivre»*

Après être intervenue, dans la première moitié des années 1970, dans le centre des affaires et, dans la seconde moitié de cette décennie, dans le quartier Centre-sud, la Ville de Sherbrooke lancera, au début des années 1980, un programme d'action sur l'ensemble du centre-ville, dont fait partie le quartier Centre-sud. La conception de ce programme relève de l'appareil politico-administratif local, mais la Ville fera tout de même appel, en ce qui a trait à sa réalisation, à la contribution des paliers supérieurs de gouvernement.

Ce programme qui aura pour titre «Un Centre-ville à vivre» (Sherbrooke, 1981), servira à bien marquer les préoccupations de la municipalité pour le centre-ville. Il proposera différentes actions concernant la restauration, le recyclage et la construction résidentielle; l'image, l'activité et l'accessibilité des commerces; la concentration au centre-ville des services administratifs; la circulation automobile, le transport en commun et la circulation piétonnière; les parcs et les espaces verts. Toutefois, aucune intervention ne sera envisagée pour maintenir des établissements industriels au centre-ville: la municipalité suggère plutôt d'y renforcer la vocation tertiaire, la fonction industrielle étant réservée au parc industriel.

Divers intervenants seront appelés à jouer un rôle dans ce programme: le grand public, la Chambre de commerce, les associations de marchands, les comités de rues commerciales, la Corporation de développement du Centre-ville, les comités de citoyens, les sociétés culturelles, les institutions religieuses, les gouvernements supérieurs et, bien sûr, la municipalité qui se présentera comme le chef d'orchestre d'un large consensus sur l'avenir du centre-ville. Mais ce consensus n'est qu'un souhait et masque les contradictions sociales qui se révèlent sur le territoire du centre-ville: l'intégration du quartier Centre-sud à ce territoire, qui se traduit entre autres, par la mutation des commerces et la tertiarisation de l'espace de travail, est profitable à la petite bourgeoisie d'affaires locale, mais ne l'est pas nécessairement pour les couches populaires habitant le quartier, de même que l'arrivée dans le quartier de représentants des nouvelles couches moyennes ne va pas nécessairement dans le sens du maintien sur place des couches populaires. De plus, la municipalité n'a pas de contrôle sur les intervenants qu'elle interpelle et ses propres moyens d'intervention se limitent pratiquement à faire des propositions.

Cependant, participeront effectivement à ce projet de revitalisation du centre-ville de Sherbrooke, l'État québécois par le biais du ministère des Affaires culturelles et de l'Office de planification et de développement du Québec, mais dont les actions ne visent pas directement le quartier Centre-sud; les coopératives d'habitation qui achètent et restaurent des logements dans le quartier Centre-sud et cherchent ainsi à y maintenir une vocation populaire, bien que des représentants des nouvelles couches moyennes intellectuelles en soient membres et en occupent certains logements; des commerçants qui se sont implantés au C.D.A., mais également dans le quartier Centre-sud, et qui y ont aussi transformé des commerces traditionnels en boutiques, restaurants, cafés ou bars.

2. LES MODALITÉS ET LES EFFETS DE L'INTERVENTION MUNICIPALE

La municipalité de Sherbrooke intervient donc, à compter du milieu des années 1970, sur le quartier Centre-sud afin d'en favoriser la revalorisation. C'est surtout par le biais du programme d'amélioration de quartier que cette intervention s'effectue. Dans le cadre de ce programme, la municipalité incite les propriétaires à restaurer leur(s) logement(s), construit des H.L.M. et améliore les équipements collectifs. Nous traiterons ici des modalités et des effets de ce programme en nous penchant davantage sur la restauration résidentielle.

2.1 La restauration résidentielle: préservation du parc ancien et menaces d'éviction

La restauration résidentielle constitue le volet principal des programmes d'amélioration de quartier mis en œuvre dans le quartier Centre-sud. La Division d'urbanisme précise, dans le cadre du P.A.Q. Phase I, que «compte tenu du revenu des gens du secteur, les logements restaurés devraient demeurer financièrement accessibles à ceux-ci» (Sherbrooke, 1976b, p. 120) et, dans le cadre du P.A.Q. Phase II, qu'il faut «restaurer les logements tout en tenant compte de la capacité de payer des occupants» (Sherbrooke, 1978, p. 27). Cependant, l'opération restauration ne se réalisera pas sans écueils par rapport à cet objectif. En effet, la restauration privée sera accompagnée d'augmentations de loyers qui ne seront pas sans conséquences sur les occupants. Toutefois, un autre type de restauration revêtira un caractère plus social: celle menée par des coopératives d'habitation. Ce type de restauration connaîtra tout de même aussi certains problèmes.

2.1.1 *L'incitation à l'initiative privée: réhabilitation de l'habitat et rentabilisation des travaux*

Au premier mars 1981, 142 logements avaient été restaurés avec subventions dans la zone du P.A.Q. Phase I et 64 dans la zone du P.A.Q. Phase II. Première constatation: le nombre de logements restaurés est inférieur au nombre prévu. En mars 1978, le contrat Ville – S.H.Q. – S.C.H.L. prévoyait, dans le cadre du P.A.Q. Phase I, la restauration, sur une période de cinq ans, de 476 logements, soit une moyenne de 95 logements par année; en mars 1981, la moyenne annuelle n'est que de 47 logements restaurés. En octobre 1979, le contrat Ville – S.H.Q. – S.C.H.L. prévoyait, dans le cadre du P.A.Q. Phase II, la restauration, sur une période de cinq ans, de 995 logements, soit une moyenne de 199 logements par année; en mars 1981, la moyenne annuelle n'y est que de 42 logements restaurés[3].

L'opération restauration démarre donc lentement et tarde à prendre sa vitesse de croisière. Plusieurs facteurs peuvent expliquer ce phénomène: l'âge avancé des propriétaires (la moyenne d'âge des propriétaires-occupants de la zone du P.A.Q. Phase II est de 61 ans), la complexité des procédures administratives, la crainte d'être dérangé par les travaux et, surtout, l'insuffisance des aides. Au 1er mars 1981, le coût total des travaux de restauration, dans le cadre du P.A.Q. Phase I, s'élevait à 1234 533$, 35% de ce montant ayant été défrayé par les subventions de la S.C.H.L., 23% par les subventions combinées de la S.H.Q. et de la municipalité, et 42% par les propriétaires. Au 1er avril 1981 toujours, 498 910$ avaient été dépensés pour la restauration de logements, dans le cadre du P.A.Q. Phase II, 34% de ce montant ayant été comblé par les subventions de la S.C.H.L., 23% par les subventions combinées de la S.H.Q. et de la municipalité, et 43% par les propriétaires[4]. Ainsi, la répartition effective des coûts de restauration se rapproche davantage des prévisions du P.A.Q. Phase II estimant la part des propriétaires à 48% alors que celles du P.A.Q. Phase I l'évaluaient à 20%.

Deuxième constatation concernant, cette fois, plus particulièrement, les restaurations de la zone du P.A.Q. Phase I: l'augmentation du loyer des logements restaurés. En effet, pour 48 logements qui y furent restaurés avec subventions en 1978, la municipalité proposa aux propriétaires une augmentation moyenne de loyer de 51%; en 1979, les loyers des logements restaurés étaient augmentés, en moyenne, de 54%[5]. Or, selon le *Dossier analytique* du P.A.Q. Phase I, le taux de chômage était, dans la zone d'intervention, de 19,5% et 65,9% des résidants occupant un emploi étaient des ouvriers non-spécialisés. Les occupants de cette zone ne sont donc pas tous en mesure d'assumer de telles hausses de loyers, à moins , bien sûr, d'augmenter leur taux d'effort. Dans le *Dossier programme* du P.A.Q. Phase I, la Division d'urbanisme de la municipalité avait d'ailleurs proposé à la Société d'habitation du Québec (S.H.Q.) de prévoir une forme d'allocation-logement afin de combler les hausses de loyers prévisibles, soulignant que «cette solution est moins oné-

---

3. Informations recueillies auprès de la Division d'urbanisme, Ville de Sherbrooke, avril 1981.
4. *Ibid.*
5. Compilation à partir des données du Service de l'urbanisme, Ville de Sherbrooke, 1981.

reuse que de construire à neuf du logement social» (Sherbrooke, 1976b, p. 120). Or, dans le dossier du P.A.Q. Phase II, la Division d'urbanisme note qu'il n'est pas toujours possible que l'augmentation de loyer puisse être assumée par le locataire concerné, le mécanisme d'allocation-logement n'ayant pas été retenu par la S.H.Q. (Sherbrooke, 1978, p. 65). Ainsi, en 1978, 23 % des anciens ménages (16/70) ne regagnèrent pas leur logement après restauration et en 1979, cette proportion passait à 41 % (16/39)[6].

Troisième constatation: l'opération-restauration menée dans le cadre des P.A.Q. a des incidences fiscales intéressantes pour la municipalité. Celle-ci subventionne une partie des coûts de la réhabilitation de l'habitat, mais cette réhabilitation s'accompagne d'une hausse de l'évaluation de l'ensemble des bâtiments touchés: le montant total de l'évaluation de dix-huit propriétés restaurées en 1978 augmentait en moyenne, entre 1977 et 1979, de 44,4 % ; celui de l'évaluation de onze propriétés restaurées en 1979, augmentait en moyenne, entre 1978 et 1980, de 36,2 %[7]. Or, la hausse de l'évaluation des propriétés est suivie d'une hausse de l'impôt foncier encaissé par la municipalité. Cette mesure fiscale contribue à la hausse des loyers après restauration puisque les propriétaires répercuteront sur leur(s) locataire(s) l'augmentation de l'impôt foncier qu'ils devront payer.

Enfin, dernière constatation concernant l'opération restauration menée dans le cadre des P.A.Q.: l'opposition du Comité des citoyens de l'AC-CENTS qui avait d'abord collaboré au processus d'information-consultation mis en place par la municipalité. C'est au début des années 1970 que des prêtres de paroisses du quartier Centre-sud initient la création d'un organisme communautaire de services: l'Action communautaire du Centre de Sherbrooke, l'ACCENTS. En 1974, par suite des rumeurs d'une intervention de la municipalité dans le quartier et à cause des démolitions entraînées par la mise en œuvre d'un programme de rénovation urbaine dans le quartier Saint-François, un comité de citoyens est formé au sein de l'ACCENTS, le Comité des citoyens de l'ACCENTS. Il informe les résidants du quartier du projet d'intervention municipale et entreprend des discussions avec les représentants de la municipalité. Mais le Comité de citoyens manifeste rapidement son opposition au projet municipal. Il appréhende «une hausse sensible du coût des loyers pour toute une catégorie de la population qui peut difficilement payer plus cher pour se loger»[8], «ce qui est inacceptable si on veut garder la même clientèle dans le quartier»[9].

---

6. Informations recueillies auprès de la Division d'urbanisme, Ville de Sherbrooke, mai 1981.
7. *Ibid.*
8. *La Tribune*, Sherbrooke, le 24 mai 1976.
9. *En vrac*, journal de la Coopérative d'habitation des Cantons de l'Est, vol. 3, no 6, avril 1977, p. 12.

Le Comité de citoyens n'est pas actif que dans le quartier Centre-sud. Il participe, en 1978, au colloque populaire sur les P.A.Q. tenu à Montréal, adhère au Front d'action populaire en réaménagement urbain (FRAPRU) et signe, en 1980, son cahier de revendication, *Des quartiers où nous pourrons rester*. Toutefois, au début des années 1980, il paraîtra à bout de souffle, la mobilisation des résidants du quartier se faisant de plus en plus difficilement[10].

Soulignons enfin qu'en avril 1977 le Comité avait signé un protocole d'entente avec deux coopératives d'habitation, la Coopérative d'habitation des Cantons de l'Est et la Coopérative d'habitation du Possible, qui s'engageaient à acheter et restaurer des bâtiments résidentiels du quartier, l'objectif poursuivi étant d'y conserver et d'y réhabiliter l'habitat pour la population déjà sur place[11].

2.1.2 *L'achat – restauration par des coopératives d'habitation: la constitution d'un nouveau parc social et ses limites*

En mars 1981, la Coop des Cantons de l'Est et la Coop du Possible seront déjà propriétaires de 12 logements dans la zone du P.A.Q. Phase I, tous restaurés, et de 55 dans la zone du P.A.Q.-Phase II, dont 37 sont aussi restaurés[12]. Leurs actions seront donc importantes, particulièrement dans la zone du P.A.Q. Phase II où 58% des logements qui auront été restaurés en mars 1981, l'auront été par l'une ou l'autre de ces coopératives. Le mouvement coopératif est très actif sur l'ensemble du parc-logement de la ville. En 1979, avait d'ailleurs été officiellement créée la Fédération des coopératives d'habitation populaire des Cantons de l'Est qui devait appuyer ce mouvement. Cependant, ce mouvement ne sera pas non plus sans soulever certaines questions.

C'est en 1971 que huit personnes extérieures au quartier et dont l'âge moyen est 25 ans achètent dans Centre-sud une maison en copropriété pour y vivre une forme de vie communautaire. La Maison du Possible est née. Un médecin du groupe y met sur pied une clinique populaire. Elle devient aussi un lieu de rencontre, de discussion... En novembre 1972, le groupe s'associe à trois personnes handicapées physiques qui demeurent dans un hôpital pour malades chroniques afin de faire l'acquisition d'une deuxième maison située en face de la première. Cette maison comprend quatre logements: l'un sera occupé par les handicapés et les trois autres seront offerts à de futurs membres, dont l'ancienne propriétaire. Le groupe prend alors la décision de former une coopérative d'habitation. En novembre 1973, la Coopérative d'habitation

---

10. Rencontre avec des membres de l'ACCENTS, mars 1982.

11. *En vrac, op. cit.*, p. 13.

12. Informations recueillies auprès de la Division d'urbanisme, Ville de Sherbrooke, avril 1981.

du Possible est mise sur pied. Elle s'orientera vers l'achat de logements familiaux pour les résidants du quartier (Racicot, p. 20). Au 1er décembre 1985, elle possèdera sept bâtiments résidentiels dans le quartier Centre-sud comprenant un total de 36 logements[13].

LE QUARTIER CENTRE-SUD À SHERBROOKE: DES LOGEMENTS DE LA COOP DU POSSIBLE

PHOTO 7

En 1975, des professeurs et étudiants du cégep de Sherbrooke mettent sur pied une autre coopérative d'habitation qui sera très active dans le quartier Centre-sud: la Coopérative d'habitation des Cantons de l'Est. Elle vise à acquérir et restaurer des logements familiaux pour les gens du quartier. Au 1er décembre 1985, cette coopérative sera propriétaire de neuf bâtiments dans le quartier Centre-sud, pour un total de 43 logements.; elle sera également propriétaire de 25 autres bâtiments à l'extérieur du quartier, pour un total de 162 logements[14].

Les deux coopératives cherchent à offrir des logements de qualité aux résidants du quartier. Les nouveaux loyers après restauration peuvent n'être majorés que de 10% comparativement à 50% en moyenne dans le cas des res-

---

13. Information recueillie auprès de la Coopérative du Possible, décembre 1985
14. Information recueillie auprès de la Coopérative des Cantons de l'est, décembre 1985.

taurations privées, à cause des subventions plus élevées dont peuvent profiter les coopératives. De plus, les locataires des logements coopératifs peuvent se voir accorder un supplément au loyer par les gouvernements fédéral et provincial pour combler la différence de loyers si leurs revenus sont trop faibles. Toutefois, même si les occupants des logements coopératifs appartiennent majoritairement aux couches populaires, ceux-ci ne sont pas nécessairement tous originaires du quartier.

En effet, en janvier 1982, une enquête menée à la Coopérative d'habitation du Possible, révélait que 62% des occupants des logements de cette coopérative étaient originaires du quartier, ce qui est important, mais il y en avait tout de même plus du tiers, en majorité des ménages à faible revenu, provenant de l'extérieur du quartier et même de la ville[15]. Les anciens locataires d'avant l'achat – restauration par la coopérative sont parfois des personnes âgées qui quittent pour les H.L.M. ou des ménages que la formule coopérative n'intéresse pas. De plus, certains bâtiments acquis par la coopérative comprennent des logements vacants. Enfin, comme la Coopérative du Possible est implantée depuis plusieurs années, il y a des occupants de ses logements qui sont partis, pour résider ailleurs, plus près de leur emploi ou dans des logements qui étaient mieux adaptés à de nouveaux besoins. Il y a donc eu des disponibilités de logements qui ont été comblées, en grande partie, par des résidants du quartier, mais en partie aussi, par des gens de l'extérieur qui pouvaient être membres de la coopérative avant même qu'ils en deviennent locataires. Ce membership des non-occupants a toutefois été freiné par le Conseil d'administration, car il faussait la représentation des locataires dans les assemblées générales, tout membre, occupant ou non-occupant, ayant droit de vote.

Contrairement aux coopératives d'habitation du quartier Centre-sud à Montréal, qui possèdent, en général, chacune un bâtiment résidentiel, la Coop du Possible et la Coop des Cantons de l'Est en possèdent plusieurs. L'achat – restauration des immeubles ne se fait donc pas ici par les occupants qui se sont constitués en coopératives, mais par des coopératives déjà formées qui augmentent leur stock de logements. Il y a donc plus de coopératives d'habitation dans le quartier Centre-sud à Montréal, mais les coopératives de Sherbrooke sont plus importantes. Les locataires s'y trouvent cependant moins près de la gestion de leur logement. L'assemblée générale regroupe plus de membres et qui proviennent de logements différents: les discussions y deviennent plus générales. De plus, la coordination assurée par le Conseil d'administration élu en assemblée générale y est aussi plus centralisée et plus éloignée des membres: une proportion moins grande de ceux-ci

---

15. Entretien avec une membre fondatrice de la Coopération d'habitation du Possible, mars 1982.

peut y participer et, avec l'importance du stock acquis, sa gestion (par exemple, la comptabilité) devient plus complexe et plus technique, donc moins à la portée de tous les membres. De l'auto-gestion des immeubles par leurs résidants, on en arrive ainsi à une gestion de type centralisé et bureaucratique. La Coopérative du Possible, consciente du problème, décidait, au début des années 1980, de suspendre provisoirement l'acquisition de nouveaux logements et de décentraliser une partie de sa gestion à chacun de ses immeubles, réimpliquant ainsi, directement, leurs occupants.

La création de la Fédération des coopératives d'habitation populaire des Cantons de l'Est a aussi été à la source d'une certaine centralisation du parc-logement coopératif à Sherbrooke. En 1975, la Coopérative du Possible, la Coopérative des Cantons de l'Est et une troisième coopérative implantée au nord du centre-ville, le Communord, se rencontrent à plusieurs reprises pour mettre en commun des services comme les assurances, l'achat d'huile à chauffage, les consultations notariales, etc. En 1978, elles s'associent à deux autres coopératives pour mettre sur pied une fédération. En 1979, la Fédération des coopératives d'habitation populaire des Cantons de l'Est est officiellement constituée. Elle regroupe huit coopératives d'habitation, actives principalement dans la ville de Sherbrooke, mais aussi dans la région. La Fédération est conçue comme un instrument d'information (sur les programmes gouvernementaux, la taxation municipale...), de formation (cours d'administration, de comptabilité...), de services (achats, réparation, gestion...) et de développement.

En rapport avec ce dernier volet, la Fédération élabore en 1980, un plan de développement quinquennal (1980-1984) qui est adopté par les coopératives membres. Ce plan vise, entre autres, un objectif de 2000 logements coopératifs dont 100 seront construits par la Fédération (les autres étant des logements existants) et une capacité de financement autonome de 20% des acquisitions. À Sherbrooke, comme à Montréal, la formule coopérative reste dépendante des aides gouvernementales. La Fédération recherche une plus grande indépendance, mais au risque de nuire, par une trop forte centralisation des services, au principe qu'elle a elle-même mis de l'avant, à savoir que «la coopérative permet aux membres d'administrer eux-mêmes leurs biens collectifs» (Racicot, p. 15). La Fédération contrôle même les deux groupes de ressources techniques de la région financés par la S.H.Q. pour apporter une aide juridique et technique aux coopératives: la Société de restauration de Sherbrooke (SORES) et le Groupe de ressources techniques de Sherbrooke (G.R.T.S.). Enfin, la Fédération, avec ce plan de développement, se présente comme un pourvoyeur de logements au même titre que l'Office municipal d'habitation: elle a d'ailleurs, comme ce dernier, sa propre liste d'attente... Rappelons que depuis 1973, l'O.M.H.S. gère, en moyenne, 42 nouveaux H.L.M. par année et, qu'en 1982, il en possède 665 alors que la liste d'attente

H.L.M. s'est accrue, en moyenne, de 80 nouveaux ménages par année et qu'elle en comprend 1000 en 1982.

La Fédération n'est toutefois pas omniprésente et certaines coopératives n'en conservent pas moins une grande autonomie, comme la Coop. du Possible.

2.2 La construction de logements: relogement et apport d'une population nouvelle

La Division d'urbanisme de la municipalité prévoyait, dans le cadre du P.A.Q. Phase I, l'implantation de H.L.M. destinés à des familles pour remplacer les logements détruits et «pour ramener certaines familles au centre-ville» ainsi que l'implantation de H.L.M. pour personnes âgées, dû à leur nombre élevé dans la zone d'intervention et «à cause de leur attachement au quartier» (Sherbrooke, 1976b, pp. IV, V et VI). Elle prévoyait, également, dans le cadre du P.A.Q. Phase II, la construction de H.L.M. afin de répondre aux besoins de relogement du quartier «tout en y introduisant une population nouvelle» (Sherbrooke, 1978, p. 60).

En mars 1982, 35 logements à loyer modique pour familles et 84 H.L.M. pour personnes âgées avaient effectivement été construits dans les deux zones d'intervention[16], les ménages sans enfant étant donc privilégiés par rapport aux ménages avec enfants. Mais, selon la Division d'urbanisme de la Ville, les personnes âgées qui laissent leurs vieux logements y seraient remplacées par de jeunes ménages familiaux. Notons que ces deux zones regroupent, en 1982, moins de 5% de la population de la ville mais plus de 17% de son parc H.L.M.

Pour l'attribution de ces logements, l'O.M.H.S. a donné priorité, à caractéristiques égales, aux résidants du quartier. La municipalité a acquis et démoli 15 bâtiments pour permettre la construction, sur les terrains ainsi libérés, de H.L.M. Au total, 21 ménages étaient alors à reloger, mais huit seulement le furent effectivement dans les nouveaux H.L.M.[17]... Écart donc, entre les objectifs de relogement et le relogement effectif... Toutefois, l'objectif de la construction de H.L.M. était aussi d'amener, dans le quartier, une nouvelle population. De plus, tous les ménages délogés n'étaient pas nécessairement intéressés à occuper un H.L.M.

---

16. Information recueillie auprès de la Division d'urbanisme, Ville de Sherbrooke, mars 1982.
17. *Ibid.*

2.3 Les équipements publics et les activités économiques: l'action de la Ville et celle d'autres agents

Afin d'assurer le maintien de la vocation résidentielle de la zone touchée, le P.A.Q. Phase I devait aussi en «améliorer la fonction récréative», y ramener les services publics (voirie, égoût, aqueduc...) à un «niveau jugé acceptable» et limiter la zone commerciale à sa périphérie. Quant au P.A.Q. Phase II, il devait protéger la fonction résidentielle de sa zone d'intervention en y introduisant des équipements collectifs, en rehaussant l'état général des infrastructures et en élaborant une règlementation (zonage) plus adéquate. La Ville ne sera pas seule à intervenir sur le cadre de vie du quartier. En ce qui a trait aux équipements publics, l'action du gouvernement provincial aura plus d'impact sur le quartier que celle de la municipalité. En ce qui concerne la consommation et le travail, les commerces changeront de type et les industries quitteront le quartier sans que la municipalité intervienne directement sur les agents économiques.

2.3.1 *Les travaux d'infrastructure, l'aménagement de parcs et l'implantation de services gouvernementaux*

La municipalité entreprit effectivement, tel que projeté dans les deux zones touchées par le programme d'amélioration de quartier, des travaux de réfection des infrastructures, travaux dont elle faisait défrayer une partie des coûts par les paliers supérieurs de gouvernement. Elle consacra également la fonction résidentielle de ces zones par des amendements au zonage en empêchant notamment la conversion de logements en commerce. Enfin, elle aménagea deux parcs.

Toutefois, le gouvernement québécois intervint également en matière d'équipements sur le quartier Centre-sud et son action eut un certain impact sur la vie sociale du quartier. Il y implanta, comme dans le quartier Centre-sud à Montréal, un gros équipement socio-sanitaire, le Centre local de services communautaires (C.L.S.C.) et ce, à la demande des citoyens du quartier. Il y installa aussi un Centre d'orientation et de formation des immigrants (C.O.F.I.).

Le C.L.S.C. fera bénéficier les organismes populaires du quartier de ses ressources: locaux, aides techniques et professionnelles, et même subventions. La seule animatrice permanente du groupe l'ACCENTS était d'ailleurs une salariée du C.L.S.C. et ce, jusqu'aux coupures budgétaires de 1981. De plus, outre ce support à la vie associative du quartier, le C.L.S.C. y joue également un rôle important dans le domaine de la santé et du bien-être par l'action de ses professionnels et techniciens de la santé et du travail social.

Quant au C.O.F.I., il a contribué à l'arrivée d'Asiatiques dans le quartier. Les réfugiés d'Indochine qui sont arrivés à Sherbrooke au cours des années 1970 se sont installés près de cet équipement, dans un quartier où les logements se louaient à bon marché. Petit à petit, ils ont marqué Centre-sud de leur présence: par exemple, une épicerie asiatique et une garderie pour enfants de familles asiatiques y ont été ouvertes. Les résidants du quartier interrogés[18] sur leurs perceptions des changements survenus dans Centre-sud au cours des dernières années reviennent souvent sur ces nouveaux habitants dont l'intégration serait difficile.

2.3.2 *L'espace de consommation et de travail: commerces anomaux et emplois tertiaires*

La rue Alexandre, principale artère commerciale du quartier Centre-sud, a connu, dans la seconde partie des années 1970 et au début des années 1980, plusieurs mutations de commerces.

En 1981, on y trouvait en effet de nouveaux établissements commerciaux: un café-restaurant végétarien, un bazar, un magasin d'alimentation naturelle, une boutique de vêtements faits à la main, deux boutiques d'artisanat, une librairie, un studio de verre (rue Olivier)... Ce ne sont pas là des commerces à l'usage particulier des couches populaires résidant dans le quartier... Les Services techniques de la Ville mentionnaient dans leur rapport annuel de 1980:

> Nous sommes optimistes sur le développement de la fonction commerciale de la rue Alexandre. Cette rue montre présentement des signes très encourageants de rénovation et cela, sans que la ville ne soit intervenue. La Phase II du P.A.Q. et le programme de restauration de loyers viendront sûrement renforcer ce mouvement en créant des besoins locaux plus grands. (Sherbrooke, 1980, p. 11)

Cette rénovation commerciale s'est aussi soldée par la disparition de petits commerces de quartier: barbier, coordonnerie, épicerie, pharmacie... Les nouveaux «besoins locaux plus grands» dont la Ville fait mention sont surtout ceux des étudiants et des représentants des nouvelles couches moyennes intellectuelles qui fréquentent le quartier ou y résident... La municipalité n'est pas intervenue directement sur les activités commerciales du quartier, mais elle contribue à y attirer une nouvelle clientèle en favorisant sa revalorisation.

Notons toutefois que même si cette mutation commerciale n'est pas passée inaperçue aux yeux des ménages de couches populaires résidant dans le quartier, ces derniers peuvent toujours continuer à fréquenter les commer-

---

18. Rencontrés, en mars 1982, dans le local de l'ACCENTS.

LE QUARTIER CENTRE-SUD À SHERBROOKE: LA RUE ALEXANDRE, PRINCIPALE ARTÈRE COMMERCIALE

PHOTO 8

ces «traditionnels» qui sont encore nombreux sur la rue Alexandre. En effet, on y trouve également, en 1981, lingeries, cordonneries, épiceries, boucherie, ferronnerie, biscuiterie, buanderie... Et il y a aussi la rue Galt avec ses petits commerces de quartier et ses services coopératifs. Ces ménages vont aussi faire leurs achats au centre commercial de la Place Belvédère qui est implantée dans le quartier depuis une vingtaine d'années, mais dont la clientèle est en grande partie extérieure au quartier. Ils vont aussi, et plus souvent qu'à la Place Belvédère, sur la rue Wellington, dans le centre des affaires, juste au sud du quartier: il y a notamment sur cette rue un grand magasin de vêtements à bon marché[19]. Toutefois, la rue Wellington a aussi subi d'importants changements par suite de la construction, par la Ville, d'un semi-mail couvert, en 1975. En 1980, 71 nouveaux commerces et 71 nouvelles institutions financières s'y étaient installés; au total, 421 nouveaux emplois avaient été créés[20].

---

19. Entretien avec une membre-fondatrice de la Coopérative d'habitation du Possible et des résidants du quartier, mars 1982.
20. Corporation des commerçants du Centre-ville (1980).

Les emplois du secteur tertiaire sont d'ailleurs les seuls à connaître une hausse sur le territoire du centre-ville car les industries continuent à fermer leur porte (par exemple, l'usine Paton fermée en 1975). Cela est conforme à l'objectif de la politique de revitalisation du centre-ville qui vise à en raffermir la vocation résidentielle, commerciale et institutionnelle. Quant à son ancienne vocation industrielle, elle a été transférée au parc industriel créé par la municipalité, à l'intérieur des limites nord-ouest de son territoire. Cette transformation de l'espace de travail n'est certes pas sans incidence sur la vie des ouvriers résidant dans le quartier et peut constituer un facteur d'attraction pour une nouvelle population.

Ce changement ne relève pas directement de l'intervention municipale puisque la Ville ne contrôle pas les agents économiques du quartier. Cependant, l'intervention municipale (création d'un mail au centre des affaires et d'un parc industriel en périphérie) a tout de même favorisé cette mutation de l'offre d'emplois dans le quartier.

2.4 L'occupation sociale du quartier: dépeuplement, vieillissement et présence accrue de la petite bourgeoisie professionnelle

Avec la mise en œuvre de deux programmes d'amélioration de quartier au centre-ville, la municipalité de Sherbrooke comptait consolider la vocation résidentielle du quartier Centre-sud en y maintenant la population déjà sur place et en y attirant une nouvelle population. Ces objectifs seront plus ou moins atteints. En effet, de 1971 à 1981, le nombre d'habitants et de ménages diminue dans le quartier. De plus, la population vieillit et le nombre d'ouvriers et d'employés décroît, mais la petite bourgeoisie professionnelle voit son importance augmenter.

De 1971 à 1981, le quartier Centre-sud perd 40,2% de sa population et 16,1% du nombre de ses ménages[21]. De 1976 à 1981, période de la mise en œuvre de deux P.A.Q. sur son territoire, la baisse de population est moins forte que de 1971 à 1976 (-21,7% contre -26,6%), mais la diminution du nombre de ménages est plus importante (-9,8% contre -6,9%). La perte de population que connaît Centre-sud au cours des années 1970 singularise ce quartier par rapport aux autres quartiers de Sherbrooke et à l'ensemble de la ville. En effet, c'est Centre-sud qui est le plus affecté par le processus de dépeuplement de la ville (chute de population de -40,2% pour le quartier et baisse de population de -8,2% pour l'ensemble de la ville). Le quartier Nord

---

21. L'analyse des changements de l'occupation sociale du quartier Centre-sud et des autres quartiers de la ville s'appuie sur des compilations des données de Statistique Canada, recensements de 1971, 1976 et 1981 (voir les tableaux IV, V et VI en annexe). À noter cependant que les limites des secteurs de recensement ne correspondent pas exactement aux limites de ces quartiers.

(voir la carte 5), le «beau quartier», connaît même au cours de cette période une augmentation de 17% de sa population. Quant à la perte de ménages que connaît Centre-sud, elle particularise également ce quartier par rapport aux autres quartiers et à l'ensemble de la ville, lesquels connaissent même une hausse du nombre de leurs ménages, à l'exception du quartier Centre-nord (qui comprend le secteur 1 de la proposition de réaménagement de 1974 et le secteur appelé Vieux-Nord, situé au nord de la rivière Magog, secteur d'intérêt patrimonial pour la Ville) dont la perte de ménages est plus forte que celle du quartier Centre-sud.

Le processus de vieillissement que connaît le quartier Centre-sud au cours des années 1970 ne lui est pas propre. Dans tous les quartiers et dans l'ensemble de la ville, la proportion des 0-19 ans est à la baisse et celles des 65 ans et plus est à la hausse. Cependant, le processus est légèrement accentué dans le quartier Centre-sud, même au cours de la période de mise en œuvre des P.A.Q. (voir le tableau V, en annexe).

Enfin, de 1971 à 1981, la structure socio-professionnelle du quartier Centre-sud se transforme. La petite bourgeoisie professionnelle[22] qui représente, en 1971, 10,2% de la population du quartier en représente, en 1981, 18,7%[23]. Par contre, la proportion des employés du tertiaire[24] passe de 50,2% à 47,6% et celle des ouvriers[25] de 26,5% à 22,9%. En nombres absolus, ces changements sont beaucoup plus importants. En effet, de 1971 à 1981, le nombre de professionnels augmente de 24%, alors que le nombre d'employés du tertiaire diminue de 35,8% et que le nombre d'ouvriers décroît de 41,5%. L'augmentation du nombre de professionnels ne concerne que la population masculine (+7,0%), le nombre de femmes professionnelles diminuant (-6,7%). Quant aux employés, la baisse de leur nombre est moins importante chez les femmes (-19,6%) que chez les hommes (-49,3%). Malgré l'augmentation du nombre de professionnels, Centre-sud reste globalement un quartier occupé par une population à faible revenu. Ainsi, en 1980, le revenu total moyen[26] des hommes (9732$) et des femmes (5903$) y est-il nettement infé-

---

22. Elle comprend les catégories statistiques suivantes: enseignement, médecine et santé, professions techniques, sociales, religieuses et artistiques.
23. Ces pourcentages sont à référer à la population occupant un emploi.
24. Ils regroupent les catégories statistiques suivantes: employés de bureau, travailleurs spécialisés dans la vente et dans les services, personnel d'exploitation des transports.
25. Ils comprennent les catégories statistiques suivantes: travailleurs des industries de transformation; usineurs et travailleurs spécialisés dans la fabrication, le montage et la réparation; travailleurs du bâtiment.
26. Le revenu total moyen correspond au revenu moyen de l'ensemble de la population de 15 ans et plus, ce revenu pouvant provenir d'un emploi ou de prestations (assurance chômage, assistance sociale, pension de vieillesse...).

rieur à celui des hommes (14 834$) et des femmes (8116$) de l'ensemble de la ville[27]. Les travailleurs faiblement rémunérés et les sans-emploi, notamment chez les personnes âgées de 65 ans et plus, sont nombreux dans le quartier.

L'augmentation du nombre de professionnels dans le quartier Centre-sud, qui n'en demeure pas moins un changement notable, est un phénomène que l'on rencontre dans les autres quartiers de la ville. Il est même plus important dans les quartiers Centre-Nord, Ouest et Nord que dans le quartier Centre-sud. Toutefois, la diminution du nombre d'employés du tertiaire et du nombre d'ouvriers distingue les quartiers centraux (Centre-sud et Centre-nord) des autres quartiers de la ville. En effet, dans tous les autres quartiers, les employés du tertiaire et les ouvriers voient leur nombre augmenté, exception faite du quartier Ouest où le nombre d'ouvriers connaît une légère diminution de 1971 à 1981.

TABLEAU 3

Variation du nombre de professionnels,
d'ouvriers et d'employés du tertiaire:
Ville de Sherbrooke
1971-1981
(Hommes et Femmes)

	Centre-Sud	Centre-Nord	Est	Ouest	Nord	Sher-brooke (ville)
	%	%	%	%	%	%
Petite bourgeoisie professionnelle	+24	+58,7	+5,3	+46,6	+84,9	+42,5
Employés du tertiaire	-35,8	-41,6	+36	+15,5	+48,3	+25,3
Ouvriers	-41,5	-31,9	+28,0	-2,9	+33,2	+10,9

Source: Compilation à partir des données du tableau VI, en annexe.

---

27. Compilation sur la base des données de Statistiques Canada, recensement de 1981.

CARTE 5

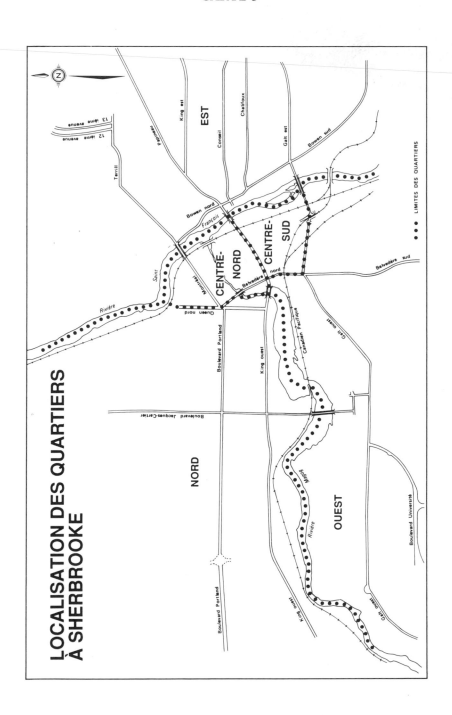

2.5 L'intervention municipale et la dynamique du quartier

Au cours des années 1970, le quartier Centre-sud a donc connu diverses mutations: l'espace de travail et de consommation qu'il constitue s'est modifié; les équipements publics y ont été améliorés et des H.L.M. construits; une partie de son parc résidentiel ancien a été restauré; sa population a continué de vieillir, le nombre d'employés et d'ouvriers y a diminué et de nouveaux résidants appartenant à la nouvelle petite bourgeoisie s'y sont établis. La municipalité, par ses actions visant à revitaliser ce quartier, a certes contribué à ces mutations. Mais elle n'est, bien sûr, pas le seul acteur en jeu.

La municipalité a contribué à la transformation de l'espace de travail et de consommation du centre-ville dont le quartier Centre-sud fait partie. Dès le début des années 1970, elle voulait y voir se développer une fonction administrative et commerciale. Elle n'entrevoyait plus de vocation industrielle pour le centre, les activités manufacturières devant être concentrées dans le nouveau parc industriel créé en périphérie, à l'intérieur des limites de la ville. La première intervention de la municipalité fut le réaménagement de la rue Wellington sur laquelle on a construit un semi-mail piétonnier. Le rôle des commerçants fut alors très important. Leur force est grande au centre-ville. C'est leur opposition à la relocalisation de l'hôtel de ville qui avait fait avorter le projet. Sans leur pression et leur concours, il n'y aurait probablement pas eu d'intervention municipale sur la rue Wellington.

La transformation de la rue Alexandre qui se trouve au coeur du quartier Centre-sud en une rue commerciale de plus en plus de type «nouvelle culture» est sans doute liée au plus grand attrait du centre-ville, à l'arrivée dans le quartier de nouveaux résidants appartenant aux nouvelles couches moyennes intellectuelles, à la diffusion de l'idéologie néo-conservationniste et pro-urbaine, un développement de l'artisanat et à la localisation de ses points de vente dans les quartiers anciens. La municipalité a certes pu favoriser la revalorisation du centre-ville et l'arrivée d'une nouvelle population dans le quartier, mais cette transformation de la rue Alexandre déborde le strict cadre de son intervention.

L'intervention municipale sur les équipements publics a également contribué à la revalorisation du quartier, mais l'intervention du gouvernement québécois, indépendante de la volonté de la municipalité, a autant concouru, sinon plus, à la transformation du quartier: l'implantation du C.L.S.C. en a influencé la vie communautaire et l'ouverture d'un C.O.F.I. y a constitué un pôle d'attraction pour une population d'outre-mer. Encore ici donc, la municipalité est intervenue, mais elle n'était pas seule.

La construction de H.L.M. a contribué à l'arrivée de ménages familiaux dans le quartier de manière directe par l'offre de nouveaux logements, et de manière indirecte, en permettant à des personnes âgées de se loger dans de nouveaux logements plus petits, ce qui aurait eu pour effet de libérer les logements plus grands qu'ils occupaient. Mais la population du quartier de même que le nombre de ménages continuent de baisser alors que la municipalité voulait y consolider la fonction résidentielle...

L'opération de restauration qu'elle a menée dans le quartier Centre-sud a certes favorisé la réhabilitation et la revalorisation d'une partie de son parc résidentiel. Cependant, comme nous l'avons noté, l'opération a démarré très lentement et peu de logements ont été touchés par rapport au nombre prévu: le faible revenu de certains propriétaires et leur âge avancé de même que l'insuffisance des aides et les procédures administratives y ont sans doute contribué. De plus, ce sont les coopératives d'habitation qui constituent le plus important agent de restauration résidentielle dans le quartier et elles se sont formées avant l'intervention municipale. Certes, elles ont profité de cette intervention, mais n'y sont pas nécessairement liées. Ainsi, la Coopérative des Cantons de l'Est possédait, en 1981, un total de 197 logements dans l'ensemble de la ville dont seulement 31 dans le quartier Centre-sud, le seul quartier alors touché par un programme d'amélioration de quartier.

Enfin, l'augmentation, dans le quartier Centre-sud, du nombre de résidants appartenant à la nouvelle petite bourgeoisie, est un phénomène que l'on trouve également dans les autres quartiers de la ville. C'est un phénomène à mettre en relation avec les transformations globales de la structure socio-professionnelle plutôt qu'avec l'intervention de la ville. De plus, le pourcentage d'augmentation des résidants appartenant à la petite bourgeoisie professionnelle est plus important dans le quartier Centre-nord que dans le quartier Centre-sud. Le centre a donc un attrait particulier pour ce type de résidants. La municipalité a contribué à revaloriser l'image du centre-ville, mais ce nouvel attrait du centre est également lié à d'autres facteurs: modifications dans la composition des ménages, idéologie néo-conservationniste et pro-urbaine. L'augmentation de l'emploi tertiaire au centre contribue aussi sans doute à y attirer de nouveaux résidants: la municipalité y a joué un rôle avec son intervention sur la rue Wellington mais la petite bourgeoisie d'affaires locale y est aussi pour quelque chose.

Ainsi, la Ville est-elle intervenue dans le quartier Centre-sud afin d'en favoriser la revitalisation. Le quartier, au cours de la décennie 1970, a effectivement connu des changements, mais ces derniers ne découlent pas seulement des actions de la municipalité. D'autres acteurs y ont joué un rôle: les propriétaires, les commerçants, les coopératives d'habitation, l'État... La municipalité ne contrôle pas ces acteurs mais doit composer avec eux.

Chapitre 4

L'INTERVENTION MUNICIPALE DANS LE QUARTIER BERRIAT À GRENOBLE

Le quartier Berriat[1] à Grenbole est un quartier dont le développement remonte au siècle dernier avec la construction de la gare ferroviaire, l'implantation d'établissements industriels, la création d'une importante artère (le cours Berriat), l'érection de l'Église Saint-Bruno, la suppression des remparts ceinturant le vieux centre...

Limité à l'ouest par le fleuve Drac, au nord et à l'est par la gare et la voie ferrée et au sud par le boulevard Joseph Vallier, il a l'aspect d'une petite ville ouvrière avec ses usines, ses commerces, sa place du marché, son église, son habitat populaire et ses 20 000 résidants en 1968 (sur les 161 200 que compte la ville)... Mais à la fin des années 1960, le quartier présente des signes de déclin. La municipalité y mènera alors, au cours des années 1970, des opérations de réhabilitation de l'habitat, accompagnées d'actions portant sur les équipements collectifs et les activités économiques.

1. LA VILLE ET LE QUARTIER: ENJEUX LOCAUX ET STRATÉGIES MUNICIPALES

L'intervention de la municipalité de Grenoble sur le quartier Berriat cherche à freiner le déclin de ce quartier et à favoriser sa revitalisation. Elle s'inscrit également dans le cadre plus général d'une politique municipale des quartiers anciens qui vise à rééquilibrer l'importance du centre par rapport à la périphérie et à répondre à une demande locale de logements.

1.1 Le déclin du quartier et la demande sociale des résidants

Le quartier Berriat qui, pendant une centaine d'années, avait été l'expression spatiale d'un certain capitalisme industriel[2] en révèle, dans la seconde partie du XXe siècle, l'affaiblissement: fermetures d'usines, dégradation de l'habitat, diminution du nombre et de la proportion des ouvriers, vieillis-

---

1. Connu aussi sous le nom de Chorier-Berriat et Berriat-Saint-Bruno.
2. Ganteries, entreprises de construction mécanique et grandes industries métallurgiques.

LE QUARTIER BERRIAT À GRENOBLE:
LE COURS BERRIAT ET LE MARCHÉ
DE LA PLACE SAINT-BRUNO

PHOTO 9

PHOTO 10

sement de la population et augmentation du nombre des sans- emploi et des immigrés.

En 1966, soit une année après l'élection de la coalition socialiste à la mairie de Grenoble, l'Union des habitants du quartier Berriat est mise sur pied. Son but: sensibiliser les résidants aux problèmes du quartier et informer la municipalité des «aspirations» de ces résidants. Pareilles unions sont formées dans pratiquement tous les quartiers de la ville, ce que favorise la nouvelle municipalité de gauche dont le premier adjoint au maire se voit chargé des relations avec celles-ci. Le quartier apparaît aux nouveaux gestionnaires municipaux comme l'échelon permettant aux résidants de se constituer, grâce aux unions de quartier, en force sociale capable de s'impliquer activement dans la dynamique de transformation de leur cadre de vie et ce, en participant à l'animation des équipements, éléments de régulation sociale implantés par la municipalité.

L'Union des habitants du quartier Berriat qui, comme la plupart des unions de quartier de la ville, représente davantage les intérêts des commerçants, cadres et employés que ceux des ouvriers (Ballain *et al.*, 1977, p. 137) va d'ailleurs revendiquer, à la fin des années 1960, face à la léthargie qui frappe le quartier, l'implantation d'équipements afin d'augmenter l'attrait du quartier. En fait, c'est d'un gros équipement dont elle fera surtout la promotion auprès des résidants du quartier et de la municipalité: un Centre social et sportif «comme il en existe un certain nombre dans les quartiers neufs»[3] et qui, en améliorant l'image du quartier, le rendrait plus attrayant pour une nouvelle population.

L'industrie délaissant le quartier contribue à la diminution de la présence ouvrière sur son territoire (travailleurs résidant à l'intérieur ou à l'extérieur du quartier). Un équipement lourd et moderne comme le Centre social pourrait alors constituer un nouveau pôle d'attraction et faire venir, dans le quartier, un nouveau type de population plus rentable pour les commerçants français que les sans-emploi et les immigrés (ces derniers fréquentant le plus souvent leurs propres commerçants) dont le nombre s'accroît, et plus semblable aux cadres et employés déjà établis dans le quartier.

Le Centre social pourrait également permettre le regroupement et, ainsi, une meilleure coordination des activités sociales, culturelles et sporti-

---

3. *Grenoble ouest*, bulletin d'information et de liaison édité par l'Union des habitants du quartier Chorier-Berriat-Vercors, no 3, décembre 1967.

ves dispersées dans le quartier. Il pourrait aussi combler le manque de locaux pour tenir ces activités.

Outre l'Union de quartier, il existe, dans le quartier Berriat, d'autres associations qui sont favorables à l'implantation d'un équipement comme le Centre social; mentionnons la Caisse d'allocation familiale (C.A.F.), le Bureau d'aide sociale (B.A.S.), les associations de parents d'élèves, un club de personnes âgées, un club d'activités pour jeunes et un foyer de jeunes travailleurs. Notons aussi la présence d'un foyer d'éducation permanente, le Foyer Parmentier, proche du Parti communiste et qui ne sera pas associé à la réalisation du projet, car écarté (selon le Foyer) ou par refus (selon le futur Centre).

Des discussions seront engagées avec l'Union de quartier et la municipalité relativement à l'implantation de ce Centre social. L'Union de quartier, dont les responsables sont des militants de la coalition élue à la mairie et plus particulièrement du Parti socialiste unifié (P.S.U.), est reconnue comme un interlocuteur valable par la municipalité, d'autant plus que cette dernière favorise elle-même l'animation des quartiers par les équipements socio-culturels.

L'Agence d'urbanisme de l'agglomération grenobloise (A.U.A.G.), dont la mise sur pied est due à l'initiative de la nouvelle mairie de Grenoble et à laquelle le bulletin de l'Union de quartier consacre un article élogieux en mai 1968[4], effectue d'ailleurs, en 1968-1969, à la demande de la municipalité, une étude systématique du quartier Berriat dans le cadre d'une série d'études sur les quartiers de la ville. L'Agence y conclut à la nécessité d'une intervention municipale: il est nécessaire d'une part, de réaliser des aménagements et des équipements collectifs afin d'améliorer le cadre de vie du quartier et les services offerts à la population et, d'autre part, de restaurer les logements afin de les rendre plus attrayants pour les jeunes ménages.

Au début des années 1970, la municipalité entreprend donc la construction du Centre social qui devra être géré par les usagers et constituer le foyer d'animation socio-culturelle du quartier. En 1970, un Conseil d'administration provisoire est élu et, en 1972, le Centre social ouvre ses portes. Sa gestion, confiée à une association sans but lucratif, comprend trois niveaux: l'assemblée générale, le conseil d'administration et le comité d'animation. Le conseil d'administration est formé de représentants des usagers, des associations, de la Caisse d'allocation familiale, du Bureau d'aide sociale, des comités d'entreprises, des travailleurs sociaux et de la municipalité. Quant au comité d'animation, il est composé de volontaires répartis en différentes commissions spécialisées par activité (sport, enfants immigrés...). Ces com-

---

4. *Grenoble ouest*, n° 4, mai 1968.

missions sont des lieux de réflexion sur les besoins du quartier et sur les orientations de l'action du Centre. Elles doivent aussi préparer des budgets spécialisés en liaison avec le directeur du Centre et le Conseil d'administration.

En mai 1972, une Commission de restauration s'y constitue. Elle apparaît comme le lieu d'expression d'une demande sociale en matière de réhabilitation du parc de logements. Cette demande est fidèle aux conclusions de l'étude menée par l'Agence d'urbanisme en 1968-1969, selon lesquelles la création d'équipements collectifs, bien que nécessaire, n'est pas suffisante pour maintenir et attirer de jeunes ménages familiaux dans le quartier: l'habitat y est «inconfortable» et doit être restauré. La Commission est composée de représentants de l'Union de quartier, du Centre social, du Bureau d'aide sociale, de l'Agence d'urbanisme, du centre P.A.C.T.[5] de Grenoble et de quelques résidants du quartier. La majorité de ces représentants sont proches de la municipalité qui se laisse volontiers interpellée par une demande sociale qui cadre bien dans sa nouvelle politique des quartiers anciens.

1.2 La politique municipale des quartiers anciens et l'intervention sur le quartier Berriat

C'est au début des années 1970 que la municipalité de Grenoble met de l'avant sa propre politique des quartiers anciens. Celle-ci vient faire contrepoids à la création d'un centre secondaire au sud de la ville. Elle se veut également une politique du logement qui ne favorisera pas la rénovation urbaine et le mouvement d'éviction de population qu'elle accélère, mais qui privilégiera plutôt la restauration résidentielle et le maintien d'un habitat populaire au centre.

1.2.1 *La création d'un centre secondaire et la revalorisation du centre ancien*

La municipalité de droite avait laissé, en 1965, deux lourds héritages à la nouvelle municipalité de gauche: la tenue des Jeux Olympiques d'hiver de 1968 et la création d'une Z.U.P. (Zone d'urbanisation prioritaire) dans le secteur Sud de la ville. Le premier mandat de la nouvelle municipalité allait alors être marqué par l'aménagement de ce secteur.

La municipalité cherchera à répondre à divers types de ségrégation: logements sociaux/logements «pour les autres»; ségrégation habitat/ équipements; ségrégation habitat/travail. Elle aménagera donc le secteur Sud en y intégrant logements sociaux, logements pour personnes à revenus plus

---

5. Propagande d'action contre les taudis, organisme national.

élevés, équipements et emplois. Elle profitera, en ce qui concerne les logements et les équipements, des financements accordés par l'État pour les installations olympiques. Le Village olympique dont la réutilisation après les
Jeux est prévue à l'avance, y côtoiera le nouveau quartier intégré de la Villeneuve. Quant à l'emploi, la municipalité initiera la création d'un centre secondaire à la Villeneuve, avec une double fonction commerciale et administrative. Elle se trouvera ainsi à briser le monopole de centralité rattaché au
centre ancien.

La municipalité se devra alors de prendre en compte les intérêts de la
vieille bourgeoisie commerçante, foncière et professionnelle du centre ancien, que la création de ce nouveau centre moderne ébranlera. Une intervention visant à revaloriser le centre ancien paraîtra donc nécessaire. Mais cette
intervention devra aussi tenir compte des ménages appartenant aux couches
populaires qui résident au centre, la municipalité étant de gauche. Il s'agira
donc pour elle de faire du centre ancien, un «centre pour tous». Le centre,
image condensée de la ville, devra exprimer la présence de tous les groupes
sociaux dans la ville. La nouvelle municipalité, de gauche mais non-
communiste, se veut celle de tous les grenoblois et elle vise, au centre comme
à la périphérie, le brassage des populations, la déségrégation sociale.

Le deuxième mandat de la municipalité de gauche (qui débute en
1971) sera marqué par cette préoccupation du vieux centre. Des interventions
sont engagées pour le revaloriser par rapport au centre secondaire: aménagement piétonnier de certaines rues, réfection des chaussées, création d'espaces
libres, réorganisation du circuit des autobus, création d'espaces de stationnement, installation de parcomètres, ravalement de façades... Et, par rapport au
logement populaire, un type d'opération est privilégié: la réhabilitation de
l'habitat ancien.

La municipalité précédente avait lancé, au début des années 1960, une
opération de rénovation urbaine au centre, sur le quartier de la Mutualité.
Cette opération, sous le couvert de la lutte contre les taudis, avait pour objectif la restructuration sociale (évincer les populations à faibles revenus), économique (rentabiliser un espace central) et symbolique (améliorer, c'est-à-
dire épurer, embourgeoiser, moderniser l'image du centre). Mais l'opération
s'était butée à quelques obstacles. LOGIFRANCE, société privée de promotion immobilière à qui la municipalité avait confié la gestion de l'opération,
avait de la difficulté à procéder aux acquisitions de terrains, les propriétaires
et commerçants expropriés ou menacés de l'être s'étant constitués en force
d'opposition qui réussit à retarder la déclaration d'utilité publique précédant
les expropriations de la deuxième tranche de l'opération. De plus, LOGI-
FRANCE s'était engagée, sur ses fonds propres, pour les premières acquisitions et subissait un manque à gagner dû à la chute du marché des habitations

de standing touchant notamment un ensemble immobilier (les trois tours de l'Ile verte) dont elle était le promoteur. Elle faisait donc face à un problème de liquidité qui allait freiner l'opération. En 1965, LOGIFRANCE demande à être relevée de ses fonctions. La nouvelle municipalité se retrouvant avec un «coup parti» sur les bras, confie la gestion de l'opération à la SONACOTRA[6] avec une orientation plus sociale. Mais l'opération rencontre toujours des difficultés, lesquelles sont soulignées par l'Agence d'urbanisme:

> le manque de souplesse et la lenteur des procédures, l'impact financier sur le budget de la ville, les difficultés d'acquisition et de rétrocession du sol indiquent clairement que cette solution ne pourra être poursuivie au VIe plan et qu'il faut trouver d'autres procédures. (A.U.A.G., 1970, p. 6)

De plus, cette solution qui occasionnait autant de problèmes qu'elle devait en résoudre, était aussi appliquée à un autre quartier central, celui de la République. L'Agence recommandait donc à la municipalité de remplacer les opérations de rénovation urbaine par des opérations de réhabilitation de l'habitat ancien. Il fallait «conserver au maximum les immeubles anciens et l'organisation spatiale de la vieille ville» (*Ibid.*, p. 16). Il fallait aussi mettre un frein à l'éviction des populations entraînée par la rénovation urbaine: de 1962 à 1968, le quartier de la Mutualité avait perdu 702 résidants soit 39% de sa population (Yotte, 1976, pp. 190-192).

La municipalité met donc de l'avant, à partir de 1971, une politique des quartiers anciens favorisant la réhabilitation de l'habitat ancien, la conservation du tissu urbain et le maintien sur place des résidants. Cette politique est d'abord expérimentée dans le quartier Très-Cloîtres. C'est un quartier à l'habitat vétuste, occupé en grande partie par des travailleurs immigrés (italiens, portugais et algériens) et donc peu recherché par des groupes extérieurs; il est situé en périphérie du centre des affaires et donc peu sujet à la pression foncière; il se trouve enfin à proximité du quartier de la Mutualité et donc «plus sensible à la différence de traitement» (Delbard *et al.*, 1976, p. 126). Il apparaît donc comme le terrain idéal d'essai d'un nouveau type d'intervention en quartier ancien.

De plus, en 1972, alors que l'opération Très-Cloîtres se met en branle, l'opération de rénovation du quartier de la République est réorientée: sa troisième phase touchant l'îlot Voltaire – Sainte-Claire ne verra pas se poursuivre les travaux de démolition-reconstruction; on leur préférera les travaux de résorption de l'habitat insalubre et de restauration immobilière. Et en 1973,

---

6. Société nationale de construction de logements pour les travailleurs, société nationale d'économie mixte à but non-lucratif.

CARTE 6

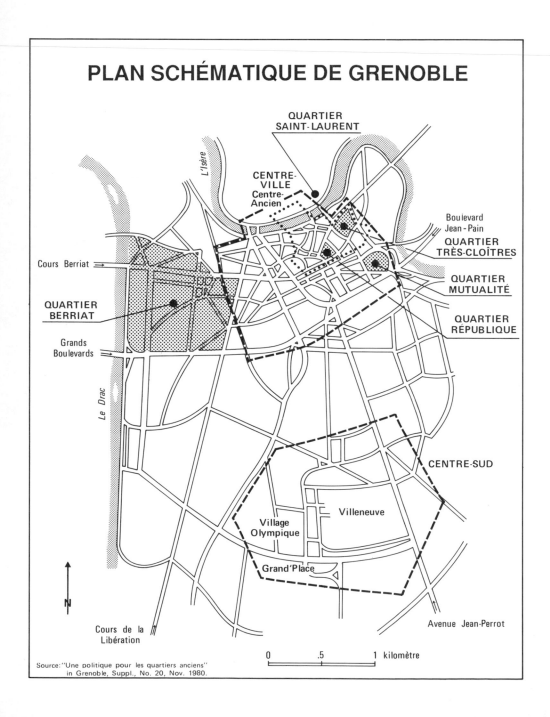

PLAN SCHÉMATIQUE DE GRENOBLE

QUARTIER
SAINT-LAURENT

L'Isère

CENTRE-
VILLE
Centre-
Ancien

Boulevard
Jean-Pain

QUARTIER
TRÈS-CLOÎTRES

Cours Berriat

QUARTIER
MUTUALITÉ

QUARTIER
BERRIAT

QUARTIER
RÉPUBLIQUE

Grands
Boulevards

Le Drac

CENTRE-SUD

Villeneuve

Village
Olympique

Grand'Place

N

Avenue Jean-Perrot

Cours de la
Libération

0   .5   1 kilomètre

Source:"Une politique pour les quartiers anciens"
in Grenoble, Suppl., No. 20, Nov. 1980.

une opération de restauration immobilière est décidée par le Conseil municipal pour le quartier Berriat. Ce quartier situé en périphérie de «l'hypercentre» comme Très-Cloîtres, mais beaucoup plus récent que ce dernier, est inclus dans la vieille ville. Il sera cependant l'objet d'un traitement particulier que nous analyserons plus loin.

1.2.2 *L'optimisation du parc de logements et la réhabilitation de l'habitat ancien*

Au début des années 1970, la demande de logements sociaux est très forte à Grenoble et dans l'agglomération. En 1973, 1500 mal logés sont dénombrés dans la ville. Dans l'ensemble de l'agglomération, il y a 3200 demandeurs de H.L.M., soit le même nombre qu'en 1972 malgré la construction du quartier I de la Villeneuve (A.U.A.G., 1973, pp. 26-27). L'Agence d'urbanisme souligne que 8 personnes sur 10 ne veulent pas changer de logement et que parmi ceux qui accepteraient un relogement, 25% ne veulent pas de H.L.M.: le loyer est trop élevé; l'environnement de leur quartier leur plaît; ils craignent une baisse de statut social de même que le phénomène «grand ensemble» (*Ibid.*, p. 26). L'Agence note également que plus de la moitié des demandeurs sont ouvriers, mais que seulement le quart des occupants des nouveaux ensembles mis en œuvre sont effectivement ouvrier. De plus, 32% des demandeurs sont étrangers mais l'arrêté du préfet du département de l'Isère ne permet qu'un seuil de 15% d'étrangers par ensemble neuf (*Ibid.*, p. 38). L'Agence conclut donc que «ce ne sont pas les nouveaux ensembles H.L.M. qui apporteront une réponse aux mals logés de Grenoble» (*Ibid.*). Ces mals logés qui n'ont pas pu ou pas voulu accéder aux H.L.M. se retrouvent dans le parc ancien locatif. La réhabilitation de l'habitat ancien permettrait alors de suppléer à l'offre de H.L.M., offre qui ne pourra, au cours des années 1970, répondre à la demande. Ainsi la demande de H.L.M. ne sera satisfaite qu'à 58% en 1972, 48% en 1973, 45% en 1974, 49% en 1975, 40% de 1976 à 1978 et 42% en 1979 (A.U.R.G., 1981, p. 46).

Cependant, le logement restauré ne fera pas que se substituer au H.L.M., il viendra également combler une demande plus générale de logements à laquelle l'offre globale de logements neufs ne pourra répondre. Entre 1968 et 1975, la population de la ville augmente de 2,8% mais le nombre de ménages connaît une hausse de 15,6%. Entre 1975 et 1979, la population de la ville s'accroît de seulement 0,06%, alors que le nombre de ménages augmente de 5,6%[7]. L'augmentation du nombre de ménages est donc plus rapide que celle de la population, ce qui s'explique par le phénomène de «décohabita-

---

7. Compilation faite à partir des données du recensement et du Fichier permanent du logement (FIPER-LOG).

tion» (de nouveaux ménages se créent suite, notamment, au départ des jeunes du logement familial et à la séparation de ménages «adultes») et la multiplication des petits ménages qui ne sont pas, bien sûr, propres à Grenoble. Par ailleurs, la construction de nouveaux logements connaît certains problèmes qui ne sont pas à dissocier du contexte général de la crise économique et d'une politique de l'État qui diminue son aide à la production de logements neufs. Mais il y a, à Grenoble et dans l'agglomération, une insuffisance de la construction neuve qui a des causes spécifiquement locales qui viennent y particulariser la crise du logement.

Il y a d'abord un problème foncier, celui de la limitation des espaces constructibles: contraintes de sites (le territoire plat est vite bordé par les montagnes); souci de protéger les espaces naturels et agricoles; zones U (zones constructibles, viabilisées par les municipalités et à coefficient d'occupation des sols déjà fixé) des plans d'occupation des sols peu nombreuses et couvrant de petits terrains; zones NA (en attente d'urbanisation et non-viabilisées) en grand nombre mais gardées en réserve par les municipalités, car il y a aussi un problème financier.

En effet, l'urbanisation ne se fait pas sans occasionner des coûts aux municipalités notamment en équipements. Or, ce n'est pas la taxe sur les logements construits qui va permettre aux municipalités de couvrir leurs dépenses. La taxe professionnelle perçue sur les activités économiques et industrielles est plus importante, mais encore faut-il qu'il y ait accroissement de ces activités pour permettre l'augmentation des revenus municipaux. Or, dans un contexte de crise économique et étant donné, également, les critères de localisation qui sont propres aux entreprises, la subordination de la construction de nouveaux logements à l'augmentation du nombre d'emplois sur lequel est basée la taxe professionnelle, restreint sérieusement l'offre nouvelle de logements.

Enfin, il y a un problème politico-institutionnel à l'échelle de l'agglomération. Les communes périphériques sont celles qui disposent de la plus grande superficie constructible. Mais ce sont elles qui subissent le moins la pression de la demande de logements: 70% de la demande qui s'exprime sur l'agglomération vient des communes centrales qui ne disposent que de 38% des espaces constructibles de l'agglomération (en 1980) (A.U.R.G., 1981, p. 135). De plus, les communes périphériques sont réticentes à accueillir de nouveaux résidants dans les logements neufs si cela implique «une plus forte pression fiscale sur les habitants déjà installés» (*Ibid.*, p. 123). Et elles sont légitimées dans leur mise en réserve des terrains constructibles par une idéologie néo-conservationniste qui valorise la préservation des «espaces naturels».

Cette pénurie de logements neufs dans l'agglomération contraint la municipalité de Grenoble qui subit une forte demande, à optimiser l'utilisation du parc de logements existants. Cette optimisation passe, entre autres, par la réhabiliation du parc ancien[8], dont celui de Berriat, parc ancien qui subit une double pression: celle des ménages solvables qui ne peuvent (pénurie) ou ne veulent (néo-conservationnisme, attrait de la centralité et/ou de la «vie de quartier», etc.) accéder aux logements neufs en périphérie et celle des ménages moins solvables qui ne peuvent (pénurie) ou ne veulent (ils payent un bas loyer, l'environnement de leur quartier leur plaît, l'image sociale des H.L.M. de même que les grands ensembles leur déplaisent...) habiter en H.L.M.

La municipalité visera en ce qui concerne le quartier Berriat, le maintien d'un habitat populaire. Son intervention penchera en faveur des ménages moins solvables, mais comme elle ne contrôlera pas tout le parc de logements du quartier, elle permettra également l'arrivée de ménages plus solvables. Il y aura donc là compromis, celui du brassage des populations et de «la ville pour tous».

1.3 La revitalisation du quartier Berriat: les stratégies municipales

C'est d'abord par des mesures d'incitation à la restauration privée que la municipalité de Grenoble interviendra sur le quartier Berriat: elle donnera le mandat à un organisme sans but lucratif, de mettre en œuvre une opération conçue par l'État, l'opération groupée de restauration immobilière (O.G.R.I.). Mais ces mesures n'auront que peu d'impact et la municipalité s'impliquera alors plus directement dans le quartier en procédant notamment à l'achat de bâtiments dans le cadre d'un programme d'action foncière. Enfin, après être intervenue comme agent de revalorisation du quartier, la municipalité fera de nouveau appel aux propriétaires privés afin qu'ils se réimpliquent dans le processus de restauration résidentielle: elle utilisera, à cette fin, une nouvelle opération conçue par l'État, l'opération programmée d'amélioration de l'habitat (O.P.A.H.).

1.3.1 *Une tentative d'incitation à la restauration privée*

Inciter les propriétaires à effectuer des travaux dans leur(s) logement(s), tel est donc le premier type d'intervention mis de l'avant par la municipalité de Grenoble face à la dégradation du parc ancien du quartier Berriat. C'est un traitement qui se veut adapté aux particularités du quartier, qui sera appliqué par un opérateur unique au quartier, mais occupant une position plutôt «inconfortable», et qui fera apparaître plusieurs limites.

---

8. La Ville entreprendra également, à la fin des années 1970 et au début des années 1980, la réhabilitation du parc H.L.M. en commençant par le grand ensemble de la Cité Teisseire situé dans le secteur Sud.

La municipalité avait engagé une lourde opération dans le quartier Très-Cloîtres. Ce quartier comptait 500 logements au début de l'opération dont la plupart étaient jugés «insalubres»: un tiers de ces logements étaient d'ailleurs désaffectés. Très-Cloîtres se caractérisait également par ses garnis où s'entassaient nombre de travailleurs algériens. L'intervention de la municipalité s'y voulait différente de celle du quartier de la Mutualité: la rénovation urbaine était rejetée; la restauration résidentielle lui était préférée. La procédure utilisée fut celle de la résorption de l'habitat insalubre instituée le 10 juillet 1970, par la loi 70-162 ou Loi Vivien. La municipalité obtient d'ailleurs, en 1973, une importante subvention pour la réalisation de la première phase de l'opération. Mais en 1975, l'État bloque le dossier: le coût des travaux de restauration est largement supérieur au prix plafond servant de base pour ce type d'opération. L'année suivante, l'intervention sur Très-Cloîtres est réorientée: on procédera à des démolitions, mais sans raser tout d'un coup. On détruira plutôt, immeuble par immeuble, îlot par îlot, en reconstituant progressivement le tissu urbain existant avec de nouveaux logements permettant de reloger les habitants du quartier à proximité de leur ancien lieu de résidence.

En ce qui concerne Berriat, la municipalité préférera une opération plus souple. Le bâti y est en meilleur état que celui du quartier Très-Cloîtres et semble nécessiter une intervention moins lourde. De plus, étant donné la spécificité de la demande sociale de réhabilitation de l'habitat qui y est exprimée par la Commission de restauration du Centre social, un traitement particulier s'impose, la municipalité voulant aussi différencier les formules d'intervention dans les quartiers anciens. La formule choisie pour Berriat sera l'opération groupée de restauration immobilière, procédure mise en place par l'État dans les années 1960.

Le choix de cette procédure, entérinée en juin 1973 par le Conseil municipal, fait suite à des enquêtes effectuées dans le quartier et à des discussions menées au sein de la Commission de restauration et entre celle-ci et les édiles. Le périmètre d'étude de l'opération comprend 900 logements dont 80% auraient besoin d'être restaurés. Le Conseil recommande la création d'une association chargée des études préalables, à laquelle il alloue un budget de fonctionnement et demande à l'Agence nationale pour l'amélioration de l'habitat (A.N.A.H.) un agrément provisoire. L'opération consistera à inciter, par une aide technique et financière, les propriétaires à restaurer leur(s) logement(s). Elle vise à maintenir l'«équilibre» social, démographique, économique et culturel du quartier.

> L'intention est de maintenir le caractère humain du quartier, son équilibre, sa diversité, mais en même temps de redonner à son habitat, la capacité de garder sa population, notamment celle des jeunes ménages qui, faute de logements assez grands et assez confortables sont mis dans l'obligation de le quitter. En conséquence, le

vieillissement progressif du quartier risque de toucher dangereusement ses commerces, ses emplois, ses activités sociales et culturelles, bref son dynamisme et sa vitalité.[9]

C'est l'Association de restauration immobilière groupée (A.R.I.G.) Berriat – Saint-Bruno, créée le 26 septembre 1973, qui est chargée de l'opération. Elle est, d'une part, contrôlée par la municipalité qui lui fournit une partie importante de son financement et dont un représentant préside son conseil d'administration, et, d'autre part, elle jouit d'une certaine autonomie puisque c'est une association sans but lucratif et que son personnel a un statut différent des fonctionnaires municipaux. La position de l'A.R.I.G. est donc ambiguë: instrument de la municipalité sans l'être clairement... Dans le quartier Très-Cloîtres, il y a une équipe municipale décentralisée, nettement identifiée à la mairie, qui a la charge de l'opération. Dans Berriat, l'A.R.I.G., bien que formée par suite de l'initiative de la municipalité, n'est pas une équipe municipale à proprement parler.

Le Conseil d'administration de l'A.R.I.G. est composé, en octobre 1973, de représentants d'organismes municipaux, para-municipaux, régionaux, départementaux, financiers et professionnels de même que de représentants du Centre social et de la Commission de restauration. Quant à l'équipe opérationnelle, elle sera composée en juin 1976 de sept personnes.

Le mandat de l'A.R.I.G. est d'effectuer des études sociales et immobilières sur le périmètre délimité par le Conseil municipal, d'informer les résidants et les propriétaires du déroulement de l'opération, de mettre à leur disposition une assistance technique et administrative et de préparer les dossiers pour la déclaration du périmètre opérationnel. C'est un mandat qui présentera des difficultés.

L'A.R.I.G. est mandataire de la municipalité qui l'a chargée de suivre l'opération et de veiller au maintien du caractère social de l'habitat dans le quartier. Elle fera d'ailleurs partie, bien que n'étant pas une équipe municipale, de l'ensemble des équipes de quartier opérant sur la vieille ville et dont la coordination des actions est assurée par le Service Vieux Quartiers de la municipalité[10]. Mais l'A.R.I.G. est aussi mandataire des propriétaires à qui elle peut fournir, sur demande, un appui technique et administratif. Or, pour convaincre ces derniers de s'engager dans les travaux de restauration, elle devra démontrer la rentabilité de leur investissement, rentabilité qui passe par l'augmentation des loyers. Cependant, cette augmentation des loyers va à

---

9. *Grenoble supplément*, Juillet 1973, p. 1.
10. Le Service Vieux Quartiers assure également la coordination avec les autres services municipaux (Urbanisme, Espaces libres, Animation...) ou avec des services extra-municipaux (A.U.R.G.) de l'intervention de la municipalité en quartiers anciens.

l'encontre de l'objectif social prescrit par la municipalité. Pour assurer cette vocation sociale, l'A.R.I.G. sera alors amenée à développer des actions en faveur des locataires. Elle se trouve donc dans une position inconfortable: au service de la municipalité avec un objectif social; à l'appui des propriétaires avec un objectif de rentabilisation; à la défense des locataires afin de préserver l'orientation sociale de l'opération.

En octobre 1974, l'A.R.I.G. publie un premier rapport d'étude (A.R.I.G., 1974). Ce dernier comprend d'abord une analyse du périmètre d'intervention qui débute par un rappel des orientations de la politique municipale des quartiers anciens: regénération du bâti et du tissu urbain d'une part, protection et développement de la fonction sociale de l'habitat ancien, d'autre part. L'analyse confirme les observations déjà faites sur le quartier: la proportion des gens âgés est importante; les logements sont de petite taille et manquent de confort; le commerce connaît des difficultés dues, notamment, à une baisse du pouvoir d'achat de la population et l'arrivée, dans le quartier, de nouveaux ménages, plus jeunes et mieux nantis, contribuerait à son redémarrage. Le rapport d'étude de l'A.R.I.G. comprend aussi une évaluation globale de l'opération de restauration sur la base des dossiers de sept immeubles tests et de l'appréciation de la situation financière des propriétaires du quartier. Pour une première tranche de 350 logements, sont prévues des dépenses s'élevant à 13 352 500 F (environ 2670 500 $can) financées à 33% par les propriétaires, à 29% par l'A.N.A.H., à 8% par l'État et à 30% par un Fonds d'aide à la restauration (apports d'organismes sociaux et des municipalités).

Conséquemment à la publication du rapport d'étude de l'A.R.I.G., le Conseil municipal demande sa transmission aux services départementaux en vue de l'arrêté ministériel délimitant le périmètre de restauration. L'arrêté est publié le 22 novembre 1974. Quelques mois plus tard, le maire invite les propriétaires à faire exécuter des travaux de restauration sur leur(s) logement(s) et à prendre contact avec l'A.R.I.G.. Le principe de l'opération est: «que le recours à l'initiative privée, sous l'impulsion municipale, permettrait d'éviter de se retrouver confronté à terme, avec une restauration lourde comme dans le centre ancien» (Grenoble, 1980, p. 30).

Or, en juin 1976, seulement quatre immeubles et quatre logements situés dans des bâtiments en copropriété avaient été restaurés. De plus, sur les quatre immeubles, deux seulement appartenaient à des propriétaires privés, les deux autres étant la propriété de l'Office public d'H.L.M. et de la Ville de Grenoble... Nous y reviendrons.

1.3.2 *L'engagement plus ferme de la municipalité*

Par suite de ces résultats peu probants, la municipalité s'impliquera davantage dans le quartier Berriat par la mise en place, au milieu des années

1970, d'un programme d'action foncière. L'intervention municipale sur le quartier Berriat débordera également le strict problème du logement et touchera l'aménagement du quartier de même que les activités économiques. Le rôle de l'A.R.I.G. s'en trouvera modifié.

En janvier 1976, l'Agence d'urbanisme de la région grenobloise (A.U.R.G.) et les Services techniques de la Ville soumettent à la municipalité un programme d'action foncière (P.A.F.). On commence, encore ici, par rappeler les objectifs de la politique municipale des vieux quartiers: «maintien du rôle social joué par ces quartiers» et «amélioration du tissu urbain existant». Cette politique, précise-t-on, conduit inévitablement la municipalité à des acquisitions foncières importantes: «les propriétaires peu ou pas solvables se retournent vers la collectivité, seule capable d'assurer les travaux de restauration» (A.U.R.G., 1976, p. 4).

Le P.A.F. est un programme de quinquennal qui bénéficie de subventions de l'État (20%) et de prêts à des taux préférentiels. Il vise, entre autres, la maîtrise foncière municipale dans les quartiers anciens. Deux types d'instrument seront utilisés: la Zone d'intervention foncière (Z.I.F.) et la Zone d'aménagement différé (Z.A.D.) qui vont permettre à la municipalité d'exercer un droit de préemption, c'est-à-dire un droit d'achat prioritaire sur les terrains, immeubles ou parties d'immeubles mis en vente à l'intérieur de périmètres donnés.

La Z.I.F. a été prévue par la Loi Galley de 1975 pour les municipalités de plus de 10 000 habitants qui disposent d'un plan d'occupation du sol (P.O.S.). La Z.I.F. couvre tout le territoire de Grenoble. En sont cependant exclus, les immeubles bâtis depuis moins de dix ans et les logements qui sont en copropriété depuis plus de dix ans. La durée du droit de préemption y est illimitée. Un propriétaire qui veut vendre un bien doit faire parvenir à la mairie de la municipalité où est situé ce bien une déclaration d'intention d'aliéner (D.I.A.) avec indication du prix de vente. La commune doit alors, deux mois au plus à compter du dépôt de la D.I.A., faire usage de son droit de préemption qui s'exerce au prix du marché, après estimation du Service des domaines. Le marché privé, c'est-à-dire la confrontation entre l'offre qui cherche à maximiser le prix de vente et la demande qui cherche à le minimiser, se trouve ainsi régulé.

Quant à la Z.A.D., c'est un outil juridique créé par l'État en 1962. En mars 1976, la Ville de Grenoble procédait à la création de trois Z.A.D. dans les «zones les plus sensibles», soit en quartiers anciens: la Z.A.D.-Rive droite, couvrant le quartier Saint-Laurent; la Z.A.D.-Centre comprenant, entre autres, les quartiers Très-Cloîtres et Brocherie-Chenoise; et la Z.A.D.-Berriat. Le droit de préemption ne peut s'exercer à l'intérieur de ces zones que sur une période de 14 ans. Comme dans le cas de la Z.I.F., un propriétaire qui veut y vendre un immeuble, un logement ou un terrain doit transmettre à la municipalité une D.I.A. avec mention du prix de vente. La municipalité a deux mois pour exercer son droit d'achat prioritaire, mais au prix de vente avant déclaration de la Z.A.D. La Z.A.D. est de ce fait une mesure nettement antispéculative. C'est donc une mesure de régulation du marché privé qui penche plutôt du côté de la demande au détriment de l'offre.

Dans le cadre du programme d'action foncière, la municipalité cherchera à exercer son droit de préemption chaque fois qu'une acquisition répondra à l'un des objectifs suivants: maintien de l'habitat social; contrôle des valeurs foncières; acquisitions de réserves foncières pour des équipements; et récupération de bâtiments industriels laissés vacants. Elle procédera aux acquisitions puis louera les immeubles, logements et terrains ainsi achetés, à la Régie foncière et immobilière de la Ville de Grenoble (R.F.I.V.G.), par bail emphytéotique à long terme.

La R.F.I.V.G. est une société d'économie mixte (S.E.M.) dont le capital social est détenu en grande partie par la Ville de Grenoble (65%). À partir de 1976, elle jouera un rôle important dans la politique municipale de réhabilitation des quartiers anciens. Ses principales missions seront les suivantes: maîtrise d'ouvrage des opérations de restauration résidentielle; aide au relogement; gestion et entretien du patrimoine immobilier. C'est donc à la R.F.I.V.G. qu'incombera la responsabilité de gérer les logements acquis par la municipalité, d'en assurer la restauration et de voir aux relogements nécessaires.

Quant à l'Association de restauration immobilière groupée (A.R.I.G.) son mandat sera redéfini par la Ville. En février 1977, une nouvelle convention Ville/A.R.I.G. est signée. Elle précise la mission que la municipalité confie à l'A.R.I.G. pour trois ans. L'A.R.I.G. bien que restant une association sans but lucratif, n'en devient pas moins plus clairement «l'opérateur de la municipalité» dans le quartier. L'A.R.I.G. est chargée de «conduire l'opération de restauration», de «collaborer avec les services municipaux pour certaines tâches d'urbanisme» et de «mener des études qui permettront d'orienter le choix de la collectivité locale en ce qui concerne l'aménagement du quartier» (A.R.I.G., juin 1977, p. 7).

Le rôle de l'A.R.I.G. se voit donc élargi. Il n'est plus limité à la réhabilitation de l'habitat ancien mais déborde sur l'aménagement du quartier. À cette fin, l'A.R.I.G. assurera le suivi de la Z.A.D. Les dossiers de déclaration d'intention d'aliéner (D.I.A.) transmis à la Commission foncière municipale, seront soumis à l'A.R.I.G. qui y est représentée. Elle pourra donc y défendre certaines priorités du quartier: la constitution d'un parc de logement social pour les personnes âgées, les immigrés et les familles nombreuses; la lutte contre la spéculation afin de freiner la hausse du prix des logements et des terrains et de récupérer la plus-value produite par l'intervention publique; l'aménagement différé d'équipements (A.R.I.G., janvier 1977, pp. 2-4). Enfin, l'A.R.I.G. sera l'un des partenaires de l'intervention municipale visant le maintien d'activités industrielles dans le quartier (nous y reviendrons).

Notons que tout le territoire du quartier est inclus dans la Z.I.F. de Grenoble sauf une importante partie qui est couvert par la Z.A.D. qui déborde le territoire de l'opération groupée de restauration immobilière (voir la carte 7). Les acquisitions de la municipalité seront nombreuses dans le quartier. Mais c'est un type d'intervention qui ne sera pas sans problème (nous y ferons référence plus loin) et la municipalité ne pourra seule assumer la réhabilitation du parc ancien du quartier. Elle tentera donc de favoriser la réimplication des propriétaires privés dans le processus de restauration sera pas sans problème (nous y ferons référence plus loin) et la municipalité ne pourra seule assumer la réhabilitation du parc ancien du quartier. Elle tentera donc de favoriser la réimplication des propriétaires privés dans le processus de restauration résidentielle.

1.3.3 *La réimplication souhaitée des propriétaires privés*

Au début des années 1980, la municipalité de Grenoble mettra en œuvre, sur l'ensemble du territoire du quartier Berriat, une opération programmée d'amélioration de l'habitat (O.P.A.H.) afin d'inciter, de nouveau, les propriétaires privés à participer au processus de restauration des vieux logements du quartier.

L'O.P.A.H. est une procédure définie par l'État en 1977 dans le cadre de la réforme de sa politique de logement, en remplacement de l'opération groupée de restauration immobilière considérée comme rigide et inadaptée en tant qu'instrument d'intervention et insuffisante quant aux moyens financiers s'y rapportant. L'O.P.A.H. est une procédure plus souple qui permet, de plus, aux propriétaires, aux locataires et à l'A.R.I.G. de bénéficier de nouvelles aides financières.

Dès 1977, l'A.R.I.G. collabore avec la Ville de Grenoble à la constitution d'un dossier pour la mise en œuvre d'une O.P.A.H. qui toucherait non seulement le quartier Berriat, mais aussi les Z.A.D. Centre et Rive Droite.

L'étude de réalisation de l'O.P.A.H. de Grenoble que l'A.R.I.G. soumettra au Comité directeur du Fonds d'aménagement urbain[11] sera agréée en juin 1979. Toutefois, la convention d'O.P.A.H. qui devait être conclue entre la Ville de Grenoble, l'État et l'Agence nationale pour l'amélioration de l'ha-

---

11. Le Fonds d'aménagement urbain (F.A.U.) est institué par l'État en 1977, afin de coordonner ses aides à l'«aménagement des centres et quartiers urbains existants».

bitat à l'automne 1979, ne sera signée qu'au printemps 1980 alors que la période d'effet de l'O.P.A.H. qui est de trois ans, débutera à l'automne 1979: six mois d'information auprès des propriétaires auront donc été perdus, l'A.R.I.G. attendant la signature de la convention pour entreprendre des démarches en ce sens. C'est la Régie foncière et immobilière de la Ville de Grenoble (R.F.I.V.G.) qui se verra confier, en collaboration avec l'A.R.I.G., la mission d'opérateur de l'O.P.A.H. dans Berriat tout comme dans la Z.A.D. Centre (A.R.I.G., 1980, p. 4).

Dans le préambule de la convention d'O.P.A.H. pour Berriat, les objectifs de la politique de la municipalité dans le quartier sont à nouveau rappelés: maintien d'un habitat populaire adapté à des familles, préservation des activités économiques existantes et amélioration du tissu urbain. De plus, la convention souligne qu'il faut «inciter les propriétaires et occupants à une participation plus active à la réhabilitation de ce quartier» (Grenoble, 1979). Depuis 1976, la municipalité a pris en main la restauration de l'habitat ancien du quartier et elle voudrait bien, trois ans plus tard, que les propriétaires et résidants s'y impliquent davantage plutôt que de s'en décharger sur elle.

Le périmètre de l'O.P.A.H. couvre tout le quartier. Des aides à la restauration pourront être octroyées pour l'ensemble des logements situés dans le quartier et non plus pour le seul habitat localisé dans la zone de l'opération groupée de restauration immobilière. Par ailleurs, l'O.P.A.H. n'est pas limité à la seule restauration de logements. Des «actions d'accompagnement» sont prévues: démolition de certains bâtiments jugés insalubres; aménagement d'espaces publics; réfection des chaussées; ravalement des façades; création d'équipements publics; construction de logements neufs locatifs à caractère social.

Les prévisions de financement de l'O.P.A.H. sur une période de trois ans sont les suivantes. La Ville de Grenoble financera 65% du coût de fonctionnement de l'équipe opérationnelle (R.F.I.V.G. et A.R.I.G.). De son côté, l'État s'engage: 1) à subventionner les 35% qui restent du coût de fonctionnement de cette équipe; 2) à octroyer cent primes (correspondant à des subventions) à l'amélioration de l'habitat; 3) à allouer les crédits nécessaires à l'amélioration de 150 logements et à la construction de 80 logements par des organismes sociaux; 4) à apporter son aide pour le relogement des familles et des isolés touchés par les opérations; 5) à participer à 35% de l'aide économique (non-amortissable) à la réinstallation d'activités commerciales et artisanales dans le quartier; et 6) à accorder l'aide personnalisée au logement (A.P.L.), nouvelle aide instaurée en 1977 et dont peuvent bénéficier les locataires des logements restaurés et les propriétaires occupants s'ils ont obtenu un prêt conventionné en plus de la nouvelle prime à l'amélioration de l'habitat (P.A.H.). Quant à l'A.N.A.H., elle réservera un crédit permettant l'amé-

CARTE 7

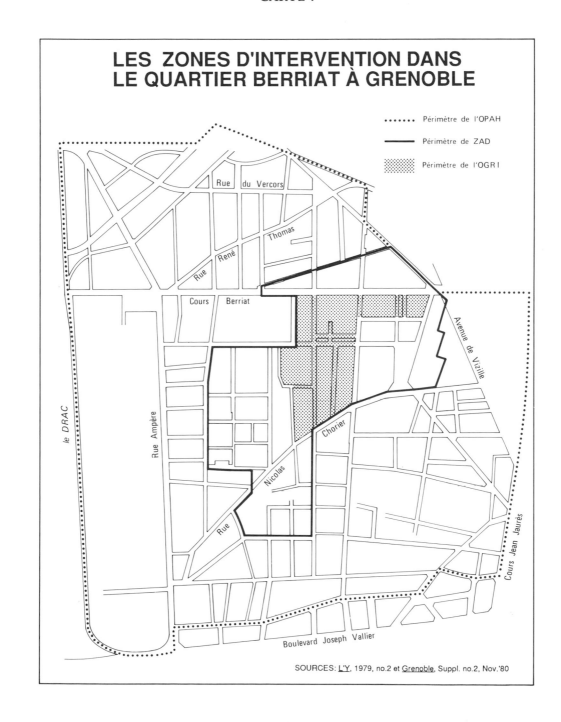

LES ZONES D'INTERVENTION DANS LE QUARTIER BERRIAT À GRENOBLE

······ Périmètre de l'OPAH

——— Périmètre de ZAD

▓▓▓▓ Périmètre de l'OGRI

Rue du Vercors

Thomas

Rue René

Cours Berriat

Avenue de Vizille

le DRAC

Rue Ampère

Chorier

Nicolas

Rue

Cours Jean Jaurès

Boulevard Joseph Vallier

SOURCES: L'Y, 1979, no.2 et Grenoble, Suppl. no.2, Nov.'80

lioration de 110 logements locatifs. Ainsi, le nombre de logements pour lesquels des travaux de restauration sont prévus, s'élève-t-il à 360 pour trois ans, soit 120 par année. Cette moyenne dépasse largement celle des 50 logements restaurés annuellement, de 1974 à 1980 dans la zone de l'opération groupée de restauration immobilière et en sa périphérie.

Enfin, la municipalité soulignera, en 1980, que son action, dans le cadre de l'O.P.A.H., devra éviter deux écueils:

- les opérations spéculatives, qui reposent le plus souvent sur des travaux au moindre coût et «tape-à-l'oeil» (...), voire même sur des travaux qui contribuent, en fait, à l'accélération de la dégradation du bâti, plutôt qu'à son amélioration (...)

- les augmentations abusives de loyer, qui seraient l'occasion pour certains propriétaires de se débarrasser de leurs locataires.[12]

2. LES MODALITÉS ET LES EFFETS DE L'INTERVENTION MUNICIPALE

La municipalité de Grenoble intervient donc, au cours des années 1970 et au début des années 1980, dans le quartier Berriat afin d'y favoriser la restauration résidentielle, mais aussi l'amélioration des équipements collectifs et la revitalisation des activités économiques. Il sera ici plus particulièrement question des modalités et des effets des interventions menées au cours des années 1970.

2.1 La restauration résidentielle: la question de la propriété des logements

Au début des années 1970, la municipalité tente d'inciter les propriétaires privés à restaurer leur(s) logement(s), mais les résultats se font attendre. Au milieu des années 1970, elle change de stratégie et s'implique directement en mettant en œuvre son programme d'action foncière. Une partie du parc ancien devient alors propriété de la Ville. Mais ce type d'intervention n'est pas non plus sans problèmes.

2.1.1 *L'incitation à la restauration privée: une opération limitée*

L'opération groupée de restauration immobilière fut officiellement lancée en février 1975. Or, en juin 1976, soit après un an et demi d'application de cette procédure, seulement quatre immeubles et quatre logements situés dans des bâtiments en copropriété avaient été restaurés, les travaux ayant dé-

---

12. *Grenoble*, supplément n° 104, 15 décembre 1980, p. 1.

buté pour le premier immeuble, au cours des études préalables, soit en août 1974. De plus, comme il en a été fait mention précédemment, sur les quatre immeubles restaurés, deux seulement appartenaient à des propriétaires privés uniques, les deux autres étant la propriété de l'Office public d'H.L.M. et de la Ville de Grenoble. Et, comme les travaux avaient été entrepris sur la base de la volonté des propriétaires ou des opportunités qui se présentaient à la municipalité, trois des quatre immeubles restaurés se situaient hors du périmètre de l'opération. Enfin, six logements sur huit du second immeuble privé restauré échappaient à tout contrôle de loyer si les locataires déménageaient, le propriétaire ne s'étant prévalu que des aides ordinaires de l'A.N.A.H. dont les conditions d'octroi sont plus souples (Chovet, 1977, pp. 50-61; Ballain et Jacquier, 1977, pp. 160-165).

En fait, l'opération est confrontée à plusieurs embûches. Il y a la faiblesse des revenus des propriétaires: 43% des dépenses engagées pour la restauration du premier immeuble privé sont restées à la charge du propriétaire, le second propriétaire ayant, quant à lui, à débourser 46% du coût des travaux effectués sur son immeuble. L'assise financière des propriétaires est donc importante pour la réalisation des travaux: les aides de l'A.N.A.H. sont insuffisantes pour les propriétaires bailleurs et inexistantes pour les propriétaires occupants. À la faiblesse de revenus des propriétaires s'ajoute aussi, dans de nombreux cas, leur âge avancé et ce, particulièrement chez les propriétaires occupants: ils occupent 35% des logements du périmètre opérationnel et plus du tiers d'entre eux ont plus de 65 ans (A.R.I.G., 1974), ce qui explique une résistance certaine face à des travaux qui vont tout de même déranger une certaine tranquillité et bousculer de vieilles habitudes de vie dans le logement.

Il y a également la situation de copropriété de nombreux immeubles, situation qui complique l'opération ou tout simplement la bloque car inextricable. En effet, un grand nombre de bâtiments dont les logements appartiennent à différents propriétaires n'ont pas été entretenus depuis longtemps, du moins en ce qui concerne les parties communes, les syndics de copropriété n'étant plus opérationnels. Lorsque l'A.R.I.G. veut intervenir sur pareils bâtiments, elle doit d'abord en repérer les copropriétaires, tâche qui n'est pas aisée: par exemple, des logements appartiennent souvent à des héritiers d'anciens copropriétaires occupants, sous forme de copropriété indivise; l'A.R.I.G. se doit alors de rejoindre chacun de ces copropriétaires. Pour faire entreprendre des travaux sur les parties communes qui sont souvent les éléments clés de la remise en état de ce type de bâtiments (les toits, les fondations, les blocs sanitaires...), l'A.R.I.G. doit avoir l'accord des copropriétaires de l'immeuble en question: dans le cas contraire (copropriétaires non-rejoints ou refus), les travaux sont compromis...

La municipalité ne pouvait donc pas uniquement compter sur la restauration privée pour réhabiliter les vieux logements du quartier Berriat et mener à bien son objectif de faire de son parc ancien, un parc à vocation sociale. Elle s'engagea donc plus directement en mettant de l'avant son programme d'action foncière.

2.1.2 *Le programme d'action foncière: la municipalité comme nouvelle force sur le terrain*

La Ville de Grenoble a effectivement profité du droit de préemption que lui conféraient la zone d'intervention foncière (Z.I.F.) et surtout la zone d'aménagement différée (Z.A.D.) du quartier Berriat.

Au 27 mars 1981, la municipalité avait fait l'acquisition, dans le quartier Berriat, de 252 logements et six villas à des fins de restauration: 39 logements, deux villas et quelques locaux d'activité avaient été acquis à des fins d'aménagement différé; 36 logements et des locaux d'activité l'avaient été pour suppression de l'insalubrité. Enfin, la municipalité avait également acheté trois anciens établissements industriels afin de maintenir l'emploi; trois logements à des fins de services publics; 27 logements, une villa et des commerces afin d'aligner les rues (A.R.I.G., 1981). Les acquisitions municipales y furent donc très nombreuses.

La municipalité devenait alors un important propriétaire dans le quartier et se constituait ainsi en nouvelle force sur le terrain. La restauration publique prit ainsi une place importante dans le quartier par rapport à la restauration privée. Mais cette dernière ne fut pas inexistante, au contraire. De 1974 à 1980, une centaine de logements appartenant à des propriétaires privés avaient été restaurés dans le quartier, en majorité à l'intérieur du périmètre de l'opération groupée[13]. De 1974 à 1976, seulement 19 logements privés y avaient été restaurés, pour une moyenne de 9,5 logements privés restaurés par année, cette moyenne passant alors à 17 au cours de la période 1974-1980. La restauration publique eut certes un effet d'entraînement en produisant un habitat ancien de qualité qui concurrençait l'habitat ancien dégradé et en marquant le sérieux du projet municipal d'amélioration du quartier. Mais cet engagement plus ferme de la municipalité occasionna aussi quelques problèmes.

La municipalité se présentait dans le quartier Berriat comme acheteur prioritaire grâce à son droit de préemption et comme gestionnaire efficace, par le biais de la Régie foncière et immobilière. Elle représentait pour les propriétaires en général une demande assurée. Elle constituait aussi la garantie, pour

---

13. «Une politique pour les quartiers anciens», supplément au journal *Grenoble*, n° 2, novembre 1980, p. 65.

les propriétaires occupants, en cas d'achat de leur logement, d'un maintien sur place comme locataires de la Régie foncière et immobilière, laquelle verrait, de plus, à la restauration de leur logement. Ainsi, même si l'intervention municipale a pu entraîner certains propriétaires à réhabiliter leur(s) logement(s), elle n'en incita pas moins un grand nombre à se décharger sur elle: en 1977, 205 logements avaient été mis en vente dans le cadre de la Z.A.D. créée l'année précédente, en 1978, 171 et en 1979, 102. La municipalité ne peut absorber toute cette offre: au cours de ces trois années, elle fit l'acquisition, dans le cadre de la Z.A.D., de 227 logements, soit 47% du stock mis en vente (A.R.I.G., 1980, pp. 9-10). Ainsi, l'engagement plus ferme de la municipalité dans le quartier Berriat produit deux effets opposés: mobilisation et démobilisation des propriétaires privés. De plus, l'acheteur prioritaire que constitue la municipalité est dépassé par l'offre de logements qu'il a lui-même provoquée, même si cette offre ne représente qu'une petite partie du stock de logements du quartier.

En effet, la Z.A.D. a pu également pousser certains propriétaires désireux de vendre leur(s) logement(s) à gros prix, à procéder à leur rétention à cause du contrôle des prix de vente instauré par elle: les logements mis en vente à l'intérieur du périmètre de la Z.A.D. en 1977, 1978 et 1979 n'y représentaient que 17% du stock de logements et ceux acquis par la municipalité que 8% (*Ibid.*). Cette rétention a pu aussi s'accompagner d'un laisser-faire en ce qui concerne l'entretien et la réhabilitation des logements: il n'y avait tout de même qu'une centaine de logements appartenant à des propriétaires privés, qui avaient été en majorité restaurés à l'intérieur du périmètre de l'O.G.R.I., de 1974 à 1980, alors que l'objectif municipal de 1974 était de 700 logements restaurés.

La Z.A.D. a aussi pu amener d'autres propriétaires qui auraient bien voulu vendre leur(s) logement(s) à meilleur prix à une clientèle solvable, à faire une déclaration d'intention d'aliéner (D.I.A.) à un prix apparemment non-gonflé, afin que la Ville n'y voit pas de manœuvre spéculative, et à demander à l'éventuel acquéreur privé, un «dessous de table», c'est-à-dire un montant ajouté non-déclaré. La municipalité n'a acheté que 47% des logements mis en vente dans le cadre de la Z.A.D. en 1977, 1978 et 1979, ce qui a laissé une possibilité de «dessous de table» pour les autres 53%. La règle du jeu que représente la Z.A.D. a ainsi pu être «jouée» et «déjouée»... Nous verrons d'ailleurs plus loin que le nombre et la proportion des «cadres moyens» a augmenté dans le quartier de 1976 à 1979.

L'action foncière de la municipalité dans le quartier, bien que visant des objectifs sociaux, n'en a pas moins fait augmenter le loyer des logements restaurés. Ainsi, le loyer après restauration (publique ou privée) augmente en général, selon une étude du GETUR (Ballain *et al.*, 1977, p. 155), du double et même du triple, ce qui est confirmé par la responsable de l'A.R.I.G.[14]: un logement restauré avec l'aide de l'A.N.A.H. peut facilement subir une augmentation de loyer de 150%. Toutefois, l'allocation-logement puis l'aide personnalisée au logement viendraient compenser cette augmentation pour un certain nombre de ménages.

Même si, en général, le nouveau loyer privé est équivalent au nouveau loyer public (les chercheurs du GETUR concluent à une «grande homogénéité dans le niveau des prix d'accès au logement réhabilité»), des différences importantes n'en opposent pas moins le logement restauré privé au logement restauré public. Premièrement, l'augmentation de loyer du logement privé restauré se situe autour de 150% lorsque le logement est occupé avant le début des travaux et que le propriétaire doit ainsi se conformer à la loi de 1948 contrôlant la hausse des loyers; mais lorsque le logement est vacant avant le début des travaux, le nouveau loyer après restauration augmente, selon la responsable de l'A.R.I.G., de 400%, la loi de 1948 ne s'appliquant plus. Un propriétaire privé peut donc se soustraire au contrôle de la loi de 1948. Par contre, cette loi reste le référent pour le calcul des loyers après restauration des logements gérés par la Régie municipale (Ballain *et al.*, 1979, p. 142). Deuxièmement, si les nouveaux loyers sont équivalents, les travaux de restauration ne le sont pas nécessairement: les travaux dont la Régie foncière et immobilière est maître d'ouvrage vont habituellement au-delà de la simple mise aux normes minimales d'habitabilité et visent le standard H.L.M. (*Ibid.*, p. 145). Troisièmement, le logement public offre une meilleure garantie de maintien dans les lieux que le logement privé. Tous ces facteurs contribuent ainsi à rendre plus intéressant, pour les couches populaires, le logement restauré public que le logement restauré privé.

Enfin, l'action foncière de la municipalité soulève, dans le quartier Berriat, un problème de type territorial: d'une part, une portion du territoire du quartier (le périmètre Z.A.D. qui comprend celui de l'O.G.R.I.) qui est l'objet à la fois d'une revalorisation du parc ancien et d'un contrôle plus serré de la part de la municipalité; d'autre part, une autre portion (extérieure aux périmètres Z.A.D. et O.G.R.I.) dont les propriétaires ne peuvent bénéficier, pour restaurer leur(s) logement(s), des mêmes aides que celles accordées dans le cadre de l'O.G.R.I., mais qui peuvent profiter de la valeur ajoutée à leur(s) logement(s) par la revalorisation du parc voisin, en les vendant à meilleurs prix (sauf s'il s'agit de logements à propriétaires uniques pour lesquels le droit de préemption de la Z.I.F. est applicable).

---

14. Rencontrée en juillet 1981.

Le programme d'action foncière de la Ville, bien qu'ayant fait avancer le processus de restauration des vieux logements du quartier Berriat, présente donc aussi des limites. La municipalité sera alors amenée à y mettre en œuvre un nouveau type d'opération, l'opération programmée d'amélioration de l'habitat. Elle s'appuiera alors davantage sur les propriétaires privés et sa zone d'intervention couvrira l'ensemble du quartier.

2.2 Les équipements collectifs: professionnalisation et fonctionnalisation de la gestion du social

L'intervention de la municipalité dans le quartier Berriat ne se limitera pas à la seule question du logement. La Ville y implantera, au début des années 1970, le Centre social, instrument d'un mode de gestion du social qui s'appuiera sur l'animation du quartier perçu comme espace de vie communautaire. L'animation communautaire du quartier s'en trouvera cependant professionnalisée. La Ville y établira également, au début des années 1980, un gros équipement de services, instrument d'un mode de gestion du social qui s'appuiera non plus sur un espace communautaire, à savoir le quartier, mais sur un espace fonctionnalisé, soit le secteur de déconcentration. Ces deux équipements seront caractéristiques de deux époques correspondant à des approches différentes en matière de gestion municipale. De l'«utopie communitariste» des débuts de la nouvelle municipalité de gauche, on passe au «réalisme technocratique» des dernières années d'un pouvoir municipal socialiste qui vieillit.

Le Centre social avait été pensé par l'Union de quartiers qui en avait exprimé la demande à la fin des années 1960, comme un foyer d'animation du quartier géré par ses usagers. La création du Centre social, au début des années 1970, fut certes accompagnée de ce souci d'autogestion, mais qui fut fatal pour l'Union de quartiers. En effet, ses principaux militants furent absorbés par la gestion et l'animation du Centre et l'Union de quartier fut «décapitée»[15]. De plus, avec l'arrivée, au Centre, de professionnels payés (travailleurs sociaux, animateurs communautaires, etc.), les bénévoles vinrent à se désintéresser de sa gestion et de son animation pour s'en remettre à ces professionnels qui ne demandaient d'ailleurs pas mieux que de prendre plus de pouvoir... Cette professionnalisation de la gestion et de l'animation du Centre amena celui-ci à ne plus être qu'un simple organisme pourvoyeur de services (*Ibid.*). Le Centre constitue toujours un foyer d'animation et l'Association du Centre en détermine encore certaines orientations, mais le Centre social Chorier-Berriat n'en est pas moins, au début des années 1980, un gros

---

15. Entretien avec la présidente de l'Association du Centre social, ancienne responsable de l'Union de quartier, juillet 1981.

équipement de services avec une gestion plus autonome par rapport aux résidants du quartier. Plusieurs services y sont intégrés: club de personnes âgées, soins aux bébés, garderie, maintien à domicile des personnes âgées, activités pour les enfants et les jeunes, ateliers de tissage et de bois, aides aux travailleurs étrangers et à leur famille... Notons aussi la mise sur pied d'un secteur information dont le mandat est de «diffuser l'information» et «d'exprimer les besoins qui émanent du quartier»...

LE QUARTIER BERRIAT À GRENOBLE:
LE CENTRE SOCIAL

PHOTO 11

Bien qu'il ne rejoigne pas, de l'aveu-même de la présidente de l'Association et du directeur, la majorité de la population du quartier, la présence du Centre dans le quartier demeure fort importante et son impact sur sa vie communautaire, considérable. En juin 1980, il entreprenait même la publication d'un journal de quartier, *La Barrière*, en collaboration avec la nouvelle Union de quartier, l'A.R.I.G. et un comité d'entreprise.

Au début des années 1980, un autre équipement faisait son apparition dans le quartier: le Service de quartier nord-ouest, service municipal décentralisé couvrant les quartiers Berriat, Gare-Bastille et Jean Macé. Ce service permet aux résidants de bénéficier des services offerts à l'hôtel de ville, dans leur secteur de résidence: fiche d'état-civil, extrait d'acte de naissance ou de décès; certificat de résidence; renseignements sur diverses démarches administratives (ex.: pour l'obtention d'un passeport); informations générales sur la municipalité ou le secteur; demandes par rapport à l'entretien des espaces verts, au nettoyage des rues, etc. Ce nouveau service mis en place par la municipalité est le premier mais non le seul, puisqu'il s'inscrit dans le cadre d'un processus de décentralisation (en fait, il s'agit plutôt de «déconcentration») engagé par la municipalité. Le territoire de la ville a été découpé en six secteurs (le secteur I comprenant le quartier Berriat) sur lequel la municipalité implantera le même type de services. Du quartier comme espace privilégié de la gestion municipale, on passe donc au secteur, moins «social» mais plus «fonctionnel»...

Soulignons enfin, en ce qui concerne les équipements collectifs du quartier Berriat, la menace de suppression de trois classes dans un lycée du quartier qui mobilise, au début de 1981, enseignants et parents.

2.3 Les activités économiques: mutation des commerces et tentative de réindustrialisation

La municipalité sera préoccupée par les activités économiques du quartier Berriat. Dès le début des années 1970, elle s'inquiète de l'impact du vieillissement progressif du quartier sur ses commerces[16] et favorise le maintien de sa vocation industrielle qui doit aller de pair avec le maintien de sa vocation résidentielle populaire.

> Il nous paraît souhaitable de confirmer le rôle du quartier comme zone d'emplois secondaires et zone d'habitation destinées plus particulièrement aux couches populaires, quand, de plus en plus, les activités secondaires et le logement social sont rejetés à la périphérie par la rareté et le prix des terrains. (A.U.R.G., 26-02-74, p. 4)

L'espace de consommation du quartier ne s'en trouvera pas moins quelque peu modifié par suite du rachat d'une partie des fonds de commerce par des étrangers, ce que la municipalité ne contrôle pas. Elle tentera toutefois d'intervenir plus directement en ce qui concerne la vocation industrielle du quartier en faisant l'acquisition d'usines désaffectées à des fins de conservation et de promotion de leur fonction industrielle.

2.3.1 *L'espace de consommation: le rachat de commerces par des étrangers*

Le développement industriel du quartier Berriat y avait généré une forte activité commerciale, les ouvriers qui y habitaient et ceux qui s'y rendaient pour travailler, constituant une importante clientèle. Mais avec le dé-

---

16. *Grenoble supplément*, juillet 1973, p. 1.

clin de l'activité industrielle, la baisse et le vieillissement de la population, la construction des grandes surfaces commerciales et l'augmentation du nombre des immigrés, le profil des commerces s'est modifié.

Le quartier compte, en 1979, quelque 380 commerces de détail. De ce nombre, 49% sont des commerces quotidiens: cafés-bars, épiceries, magasins de fruits et légumes, boucheries, boulangeries-pâtisseries, papeteries-tabacs..., 51% sont des commerces anomaux qui ne desservent pas que les résidants du quartier: habillement, meubles, électro-ménagers, restaurants, vente et réparation de chaussures, plomberie, chauffage, peinture, décoration intérieure... (Cusenier, 1979).

Dans la seconde moitié des années 1970, un grand nombre de mutations ont eu lieu: 168 enregistrées entre 1975 et 1979, concernant 28% des fonds de commerce du quartier. Les cafés-bars, lieux de grande animation, sont particulièrement touchés avec 58 mutations. Le type de propriétaires a changé: 20,1% des acquisitions le sont par des personnes d'origine étrangère (21 par des Maghrébins et 12 par des Italiens). Ces acquisitions par des étrangers, expression de leur présence grandissante dans le quartier, sont importantes dans les cafés, restaurants, épiceries et boucheries situés autour de la Place Saint-Bruno et sur le cours Berriat, pôles d'activités du quartier (*Ibid.*). Leur impact sur la représentation et l'usage que les résidants et non-résidants ont du quartier n'est certes pas à négliger.

2.3.2 *L'espace de travail: le soutien municipal à l'emploi secondaire*

L'Agence d'urbanisme (A.U.R.G.) proposait, en 1974, de «confirmer le rôle du quartier Berriat comme zone d'habitat populaire mais aussi d'emplois secondaires» (A.U.R.G., 26-02-74, p. 4). En 1975, une étude de l'A.U.R.G. portant sur l'artisanat dans le quartier Berriat conclut à un double besoin de locaux et de financements. Or, souligne l'A.U.R.G., «il existe des prêts spéciaux artisans très intéressants» dont les conditions «sont encore plus avantageuses dans le cas d'installation en zone d'activités groupées» (A.U.R.G., 1974, p. 3). La mise en place de telles zones par la municipalité pourrait ainsi combler ce double besoin de locaux et de financement. En 1977, une autre étude de l'A.U.R.G. traitant de la mobilité artisanale dans le quartier Berriat, porte à la connaissance de la municipalité l'opportunité de «profiter de la mise en vente prochaine de la chocolaterie Cémoi, rue Ampère, pour y réaliser une zone artisanale» (Colban, 1977, p. 26).

La municipalité était déjà intervenue dans le soutien à l'emploi en créant la zone des Peupliers à La Villeneuve. L'objectif urbanistique était alors de mixer l'habitat, les équipements, le commerce et l'emploi. La municipalité visait à attirer les artisans et les P.M.E. sur lesquelles elle pensait pouvoir agir, contrairement aux grandes entreprises nationales et multinationales qui ont leur propre logique d'implantation. Elle confia la gestion de cette zone à la Société d'aménagement du département de l'Isère (S.A.D.I.). Les bâtiments y furent construits avec une certaine recherche architecturale, ce qui amena un coût élevé au mètre carré et un prix des locaux non compétitif. Pas un seul artisan ne vint s'y installer. La zone fut finalement occupée par des activités para-administratives et para-commerciales. La municipalité s'était donc «trompée». Il fallait plutôt mettre sur le marché un produit qui corresponde à ce que veulent les artisans à savoir un «produit tout simple», à «prix compétitif»[17].

Les établissements Cémoi apparaissent alors à l'Agence d'urbanisme comme l'occasion, pour la municipalité, d'offrir un «bon produit», au «prix du marché». L'achat de ces établissements par la municipalité et leur conversion en zone artisanale pourraient répondre aux objectifs suivants: aider les petites et moyennes entreprises à rester ou à s'implanter dans la ville et favoriser la mixité habitat/emploi dans le quartier (A.U.R.G., 1978, p. 6).

Cette opération est donc pensée comme «une opération industrielle au niveau de la ville, mais c'est aussi, et prioritairement, une opération d'urbanisme au niveau du quartier» (*Ibid.*, p. 8)... Le maintien de l'activité industrielle au niveau de la ville répond certes à des considérations sociales (offre d'emploi) mais aussi à des préoccupations fiscales (taxe professionnelle). D'autres collectivités locales vont mener des actions pour favoriser le maintien ou la création d'activités industrielles ou artisanales au coeur de leur territoire: Roubaix, Marseille, Evry, Angers...[18]

Les Services de la Ville de Grenoble, l'Agence d'urbanisme de la région grenobloise (A.U.R.G.) et la Société d'organisation et d'études de diffusion industrielle et commerciale (S.O.E.D.I.C.) procéderont à une étude sur la faisabilité technique, financière et commerciale de la reconversion des établissements Cémoi. Les conclusions de cette étude étant favorables, la Ville de Grenoble fera l'acquisition, en juin 1978, de l'ancienne chocolaterie, en exerçant son droit de préemption grâce à la zone d'intervention foncière (Z.I.F.). Elle en garde la maîtrise d'ouvrage, attribue la maîtrise d'œuvre à ses Services techniques, en confie la gestion à la Régie foncière et immobilière (R.F.I.V.G.) et charge la S.O.E.D.I.C. de l'assister, principalement dans les études préalables à la commercialisation. Un groupe de travail pour la réalisation d'une cité artisanale, composé d'un représentant de l'A.U.R.G., d'un représentant de l'A.R.I.G., de représentants des Services techniques de la Ville et d'élus municipaux est également mis sur pied. Il s'occupera surtout de con-

---

17. Entretien avec M. Honoré, A.U.R.G., 3 août 1981.
18. «L'usine au coeur de la cité: ce que font les villes», *Le Moniteur des travaux publics et du bâtiment* - Supplément au n° 28 du 9 juillet 1979, p. 15.

trôler l'état d'avancement du projet, mais sera aussi à la source d'une réflexion plus générale de la Ville concernant le développement économique de
la commune. L'opération C.E.M.O.I.[19] est donc lancée. On conserve l'ancien
nom, car il s'agit de renouveler le tissu industriel mais en continuité avec la
mémoire collective du quartier.

La S.A.D.I., impliquée dans le quartier de La Villeneuve, est écartée
de l'opération. La municipalité qui veut garder la pleine maîtrise de l'opération, ne la contrôle pas suffisamment. Elle veut mettre de l'avant des objectifs
qui n'en sont pas que de rentabilisation à court terme. L'occupation de cette
zone d'activités est prévue sur quatre ans et il ne s'agit pas d'y attirer tout
genre d'entreprises. Cette zone vouée à la fonction production est réservée
aux «activités du quartier qui cherchent à conserver une exploitation à côté
de leur implantation initiale», aux «entreprises créatrices d'emplois» et aux
«créations nouvelles de petites activités artisanales».

LE QUARTIER BERRIAT À GRENOBLE:
LE CENTRE D'ENTREPRISES, DE MÉTIERS
ET D'OPÉRATIONS INDUSTRIELLES (C.E.M.O.I.)

PHOTO 12

_____

19. Centre d'entreprises de métiers et d'opérations industrielles.

L'occupation des locaux du C.E.M.O.I. se fera plus rapidement que prévue. Au 1er février 1981, 33 entreprises s'y étaient installées, pour un total de 216 emplois offerts. À sa fermeture, la chocolaterie Cémoi comptait 140 travailleurs, mais en 1970, elle en employait 400. Sur les 33 entreprises, 12 étaient nouvellement créées. Sur les 216 emplois, 179 étaient offerts à l'installation, dont 58 résultant de créations d'entreprises, et 37 avaient été créés depuis. En mai 1981, soit deux ans et demi après le début de l'opération, le taux d'occupation était de 76,67 %[20].

L'opération est jugée satisfaisante par l'A.U.R.G. puisqu'elle a permis le maintien d'un certain nombre d'emplois industriels dans le quartier et qu'elle a montré que la municipalité faisait quelque chose dans le quartier en matière économique[21]. Les coûts de l'opération sont couverts en partie par la Ville, en partie par une subvention de l'État puisée dans le Fonds d'aménagement urbain (F.A.U.) et en partie par auto-financement. L'équilibre des recettes et des dépenses est prévu pour 1990 (Grenoble, 1981, pp. 3-4). Et l'expérience sera poursuivie avec la reconversion en locaux industriels de l'usine JAY, acquise par la municipalité en mars 1978, grâce aussi à son droit de préemption.

Cependant, en termes d'emplois maintenus et créés, l'impact du C.E.M.O.I. reste très limité par rapport aux emplois perdus dans le quartier. Sur 70 entreprises artisanales implantées dans le quartier en 1974, seulement 21 y étaient encore installées en 1977, six avaient été relocalisées en dehors du quartier et 43 radiées[22].

Les usines aussi ferment leur porte. De 1976 à 1981, près de 10 entreprises d'importance sont disparues, représentant un bassin d'au-delà 1500 emplois. De plus, au moins cinq entreprises ont réduit leurs effectifs, totalisant une perte de près de 500 emplois (*La Barrière*, 1981, p. 2). Le processus de désindustrialisation s'y poursuit donc.

Soulignons que le plan d'occupation du sol (P.O.S.) de Berriat confirme les zones industrielles du quartier, conformément à l'objectif municipal d'y maintenir l'emploi secondaire. Enfin, il n'y définit aucune zone d'emploi tertiaire, la municipalité voulant éviter la tertiarisation qui caractérise un grand nombre de quartiers anciens. Cependant, la pression du tertiaire est très faible sur le quartier Berriat, et le P.O.S. ne fait que confirmer l'état existant. Enfin, une taxe spéciale de transformation de logements en bureaux

---

20. *Bilan des implantations au C.E.M.O.I., au premier février 1981*, document consulté à l'A.R.I.G., juillet 1981.
21. L'expérience est décrite positivement en pages 1, 2 et 3 de *Les Affiches de Grenoble et du Dauphiné*, hebdomadaire de chroniques juridiques, commerciales, économiques, financières et d'échos régionaux, vendredi 31 juillet 1981.
22. Pointage effectué par la Chambre des Métiers et cité dans J.C. Colban (1979).

vient appuyer le P.O.S.. Elle vise à protéger l'affectation résidentielle des immeubles en quartiers anciens face à une éventuelle affectation tertiaire.

2.4 L'occupation sociale du quartier: dépeuplement, vieillissement et présence accrue des employés et des cadres moyens

Par son action dans le quartier Berriat, la municipalité de Grenoble cherchait à y maintenir un habitat populaire et à y attirer de jeunes ménages familiaux. Au cours des années 1970, l'occupation sociale du quartier se modifie et ces modifications ne correspondent pas nécessairement aux objectifs énoncés par la municipalité dans le cadre de sa politique d'intervention en quartiers anciens. Le quartier se dépeuple. Sa population vieillit. La proportion des ouvriers diminue. Le nombre de Maghrébins augmente. La présence des employés et des cadres moyens devient plus importante.

De 1968 à 1979, le quartier Berriat perd 12,8% de sa population. Cette diminution de la population est cependant moins forte de 1975 à 1979 (-5,8%) que de 1968 à 1975 (-7,4%), mais le laps de temps n'est pas le même. Toutefois, le dépeuplement du quartier n'en reste pas moins un mouvement qui se situe à contre-courant de la tendance générale observée pour l'ensemble de la ville, soit une augmentation de la population de 2,9%, entre 1968 et 1979[23].

En plus de se dépeupler, le quartier Berriat voit aussi sa population vieillir. Le groupe des 0-19 ans perd de son importance: 24,2% de la population du quartier en 1968, 21% en 1975 et 19% en 1979. Par contre, le poids relatif du groupe des 65 ans et plus augmente: 14,2% de la population du quartier en 1968, 17,5% en 1975 et 23% en 1979. Ce vieillissement est plus marqué dans le quartier que dans l'ensemble de la ville. Par exemple, de 1975 à 1979, la proportion du groupe des 65 ans et plus s'accroît de 5,5% dans Berriat et de 3,5% dans l'ensemble de la ville. De plus, en 1979, ce groupe qui constitue 23% de la population du quartier Berriat, ne représente que 16% de la population totale de la ville.

Quant à la population étrangère[24], elle représente 9,8% de la population du quartier en 1968, 12,6% en 1975 et 12,3% en 1979, ce qui correspond à leur représentation dans l'ensemble de la ville. Après avoir augmenté, la

---

23. L'examen de l'occupation sociale du quartier s'appuie sur deux sources:
    Compilation à partir des données de: A.U.R.G., *Observation démographique 1962-1968-1975 - Quartier Berriat-St-Bruno*, septembre 1976, et du Fichier permanent du logement (FIPERLOG), décembre 1979 (voir les tableaux VII, VIII, IX et X, en annexe).
    J. Joly, «Évolution démographique et sociale de Grenoble (1976-1979)», 1980.
24. Il s'agit de la population constituée des travailleurs immigrés et de leur famille qui n'ont pas reçu la nationalité française.

proportion des étrangers se maintient donc à peu près au même niveau dans le quartier. De 1975 à 1979, le contingent étranger du quartier Berriat, comme celui de l'ensemble de la ville, subit cependant un changement notable: les Italiens qui constituaient traditionnellement le groupe d'étrangers le plus important, voient leur représentation diminuée, alors que celle des Maghrébins augmente. De 1975 à 1979, la proportion des Italiens dans le contingent étranger de Berriat accuse une baisse de 9,3% et celle des Maghrébins présente une hausse de 6,9% alors que la proportion des Italiens dans le contingent étranger de Grenoble diminue de 6,6% et celle des Maghrébins augmente de 5,1%.

En ce qui a trait aux ouvriers, leur importance relative diminue dans le quartier. Ils représentent 44,2% de la population de Berriat en 1968, 42,7% en 1975 et 38,7% en 1979[25]. Cette diminution de la représentation ouvrière dans le quartier est un phénomène commun à l'ensemble de la ville, les fermetures d'usines et la crise économique n'étant pas spécifiques à Berriat. Toutefois, le quartier Berriat demeure un quartier où la présence ouvrière est proportionnellement plus importante que dans l'ensemble de la ville, les ouvriers constituant, en 1979, 38,7% de la population de Berriat et 30,2% de la population de Grenoble.

Par ailleurs, les employés et les cadres moyens[26] voient leur importance relative augmentée dans Berriat. Les employés représentent 18,8% de la population du quartier en 1968, 20,6% en 1975 et 21,9% en 1979. Quant aux cadres moyens, ils constituent 12,9% de la population du quartier en 1968, 14,2% en 1975 et 17,2% en 1979. De 1968 à 1979, l'augmentation du nombre d'employés et de cadres moyens (14,7% et 30,9%) est plus importante chez les femmes (19,0% et 44,5%) que chez les hommes (5% et 22,4%), ce qui révèle une tendance à la féminisation de ces deux groupes dans le quartier. En 1979, les femmes représentent 71,6% des résidants du quartier travaillant comme employés, comparativement à 69% en 1968, et 42,6% de la population du quartier faisant partie des cadres moyens, contre 38,6% en 1968.

Cette augmentation de l'importance relative des employés et des cadres moyens dans le quartier est un phénomène que l'on rencontre dans l'ensemble de la ville où ces deux groupes professionnels restent cependant proportionnellement plus importants que dans Berriat. Ainsi, en 1976, les employés représentent 21,6% de la population de Grenoble occupant un em-

---

25. Ces pourcentages sont à référer à la population occupant un emploi.
26. Sont considérés comme cadres moyens, ceux et celles occupant des professions sociales ou techniques, des postes d'enseignant et des fonctions de direction intermédiaire. Il s'agit donc de la «nouvelle petite bourgeoisie» ou des «nouvelles couches moyennes intellectuelles».

ploi et les cadres moyens, 19%, alors qu'en 1979, la proportion des employés passe à 22,4% et celle des cadres moyens, à 20,6%.

2.5 L'intervention municipale et la dynamique du quartier

Au cours des années 1970, le quartier Berriat voit sa population diminuer et vieillir. De plus, sa position sociale change: le quartier comprend moins d'ouvriers mais plus de Maghrébins, et il accueille un plus grand nombre d'employés et de cadres moyens. La municipalité est intervenue pour infléchir le devenir du quartier, mais les mutations sociales qu'il a connues relèvent d'une dynamique qui déborde le simple cadre de l'intervention municipale.

En ce qui concerne le dépeuplement et le vieillissement du quartier, phénomène particulièrement accentué dans Berriat, il vient en contradiction avec l'objectif municipal qui était d'y attirer de jeunes ménages familiaux par la réhabilitation de l'habitat. Comme on l'a vu, la municipalité n'est pas arrivée à faire restaurer autant de logements qu'elle le prévoyait. La forme de propriété des logements, la copropriété, a contribué au ralentissement des opérations de réhabilitation de l'habitat. L'âge des propriétaires y a aussi joué un rôle; en 1975, 31,5% des ménages du quartier étaient propriétaires-occupants et 49% de ces propriétaires-occupants étaient âgés de 60 ans et plus[27]. La démobilisation des propriétaires qui vont se décharger sur la municipalité en mettant leur(s) logement(s) en vente, dans le cadre de la Z.A.D., est un autre facteur qui ralentit la restauration des logements du quartier, d'autant plus que la municipalité ne peut racheter tous les logements mis en vente. L'insuffisance des aides de l'État à la restauration privée qui reste coûteuse pour les propriétaires à faible revenu, de même que l'insuffisance de ces aides à l'achat-restauration de logements par la municipalité et la Régie foncière ont aussi influé sur le faible nombre de logements restaurés. Enfin, les premières zones d'intervention ne couvraient qu'une partie du quartier. Ainsi, même si l'engagement plus ferme de la municipalité dans le processus de restauration du quartier a permis la réhabilitation d'un important stock de logements, ce dernier (environ 200 logements publics et 100 privés) reste minime par rapport au parc de logements du quartier (environ 9700 logements). L'impact de l'intervention municipale sur l'habitat du quartier est donc limité.

La perte de postes d'emploi dans le quartier a également pu influer sur son dépeuplement, les fermetures d'usines s'accompagnant au départ d'une partie de la population ouvrière. La municipalité est certes intervenue afin de soutenir l'emploi dans le quartier, notamment avec l'opération C.E.M.O.I.

---

27. Compilation à partir des données de A.U.R.G., op. cit., et du FIPERLOG, op. cit.

Mais les emplois préservés dans le quartier par cette opération, ne pèsent pas lourd par rapport aux emplois qui y ont été perdus. L'opération C.E.M.O.I., qui sera suivie de l'opération JAY, marque cependant la volonté d'intervention de la municipalité sur le plan économique et aura peut-être des effets d'entraînement à moyen et à long termes.

La diminution du nombre et de la proportion des ouvriers n'est pas particulière à Berriat et s'inscrit dans le processus de changement social qui atteint toute la ville. Le quartier Berriat, malgré cette diminution, reste un quartier à forte présence ouvrière, la proportion des ouvriers y étant toujours, en 1979, plus importante que dans l'ensemble de la ville. L'augmentation du nombre et de la proportion des cadres moyens et des employés dans le quartier Berriat suit également le processus de changement social que connaît l'ensemble de la ville. Cet apport n'est pas en contradiction avec l'objectif de la municipalité qui, tout en visant à maintenir un habitat populaire dans le quartier, cherchait également à y diversifier les couches sociales dans le cadre du «brassage social» qu'elle souhaitait d'ailleurs pour l'ensemble de la ville. Mais on peut se demander si l'augmentation du nombre et de la proportion des cadres moyens dans le quartier est essentiellement due à l'intervention municipale. Le manque de nouveaux logements construits sur le territoire de la ville, la petite taille des ménages et l'idéologie néo-conservationniste et pro-urbaine ont pu favoriser l'attrait exercé par le quartier Berriat, comme par le vieux centre sur ces cadres moyens. Mais l'intervention municipale sur le centre ancien et sur le quartier Berriat a certes contribué à revaloriser ces espaces, à réinsérer une partie de leur habitat dans l'ensemble d'un marché du logement de la ville et à y attirer ainsi ces cadres moyens.

Enfin, en ce qui concerne la présence d'une population étrangère de plus en plus maghrébine dans le quartier, c'est aussi un phénomène qui n'est pas particulier à Berriat. Le changement de main des commerces qui n'est pas sans lien avec ce phénomène, n'est également pas propre à ce quartier. Il n'a d'ailleurs pas laissé indifférent le président de la Chambre des métiers de Grenoble qui a vertement dénoncé le rachat des fonds de commerce au centre-ville par des étrangers: «aucune mesure ne semble actuellement prise pour éviter que le centre-ville perde son caractère dauphinois pour devenir une cité cosmopolite où il sera rare d'entendre parler français.»[28]

La municipalité a peu de prise sur ces mutations commerciales, mais elle y contribue en partie dans la mesure où elles sont l'expression de l'existance d'une population étrangère qu'elle veut maintenir sur son territoire, notamment, en quartiers anciens, afin de réaliser cette déségrégation ethnique qui constitue un autre volet du compromis social recherché. Le maintien

---

28. «Les envahisseurs de Grenoble», in *Le Monde*, 17 janvier 1978.

d'une population étrangère dans le quartier Berriat est certes dû, entre autres, à la persistance d'un sous-marché du logement dans ce quartier qui a pu être préservé grâce à la Z.A.D. qui, malgré les problèmes qu'elle a soulevés, a empêché une trop grande revalorisation du parc-logement du quartier. Mais l'intensification de la présence des Maghrébins dans le quartier a pu influer sur le départ de certains ménages français. Le brassage ethnique souhaité par la municipalité ne l'est peut-être pas pour une partie de ces derniers.

L'intervention de la Ville a pu contribuer à infléchir certaines transformations sociales qu'a connues le quartier, mais qui y étaient déjà amorcées: augmentation du nombre et de la proportion des cadres moyens et maintien d'une population immigrée. Par contre, elle n'a pu maîtriser les forces qui ont concouru au dépeuplement et au vieillissement du quartier, de même qu'à la diminution du nombre et de la proportion des ouvriers. Elle s'est elle-même impliquée dans la restauration du parc résidentiel du quartier en faisant l'acquisition d'un grand nombre de logements, mais n'a pu contrôler tous les financements de l'État, ni toutes les propriétés du quartier. Elle s'est elle-même engagée dans le soutien de l'emploi avec l'opération C.E.M.O.I., mais n'a pu contrôler les entreprises qui fermaient leurs portes, ni la politique économique de l'État.

CONCLUSION

Les quartiers anciens dont il vient d'être question représentent, au cours des années 1970, divers enjeux pour différentes couches sociales, de même que pour l'instance politico-administrative locale. Ces enjeux, bien que semblables, se particularisent d'une ville à l'autre, d'un quartier à l'autre, d'un «champ local» à l'autre...

Ces quartiers constituent pour les couches populaires qui y résident, un espace habitable à bon marché. Les organismes populaires des quartiers Centre-sud à Montréal et Centre-sud à Sherbrooke revendiqueront, face aux menaces d'éviction, le maintien sur place des résidants. Toutefois, ces menaces sont plus importantes dans le quartier Centre-sud à Montréal que dans le quartier Centre-sud à Sherbrooke. De plus, les organismes populaires du premier sont certes plus nombreux, mais desservent aussi une population beaucoup plus grande et ceux du second sont mieux intégrés car chapeautés par une même organisation. Enfin, des coopératives d'habitation vont contribuer au maintien d'un habitat populaire dans ces deux quartiers. On les retrouve en plus grand nombre dans le quartier Centre-sud à Montréal, mais celles du quartier Centre-sud à Sherbrooke possèdent chacune beaucoup plus de logements et ont, de ce fait, un mode de gestion différent. Quant au quartier Berriat à Grenoble, l'Union de quartier y représente davantage les intérêts des couches moyennes et de la petite bourgeoisie traditionnelle. Ses revendications ne porteront pas sur le maintien sur place des couches populaires, mais sur la revitalisation globale du quartier comme réponse à son déclin à la fois démographique, social, économique et physique.

En ce qui concerne les couches moyennes intellectuelles, ces quartiers présentent un nouvel attrait. De 1970 à 1980, le nombre de résidants appartenant à la petite bourgeoisie professionnelle y augmentera de façon significative. Les nouvelles couches moyennes constitueront une force non-organisée, mais qui va infléchir la dynamique de ces quartiers. Toutefois, les facteurs d'attraction de ces quartiers différeront. L'éloignement des banlieues du coeur de la ville centrale et les coûts (en temps et en argent) de transport inhérents sont beaucoup plus grands dans le cas de Montréal que dans ceux de Sherbrooke et de Grenoble. Les activités tertiaires pourvoyeuses d'emplois pour ces nouvelles couches moyennes sont également beaucoup plus importantes dans le centre-ville de Montréal que dans ceux de Sherbrooke et Grenoble. Dans ces deux dernières villes, les services gouvernementaux et les universités qui y constituent le noyau du secteur tertiaire dit «supérieur» ne sont pas nécessairement localisés au centre: ils le sont en grande partie en périphérie. Enfin, le ralentissement de la construction neuve qui a touché Montréal, Sherbrooke et Grenoble et qui a pu inciter certains ménages des couches moyennes à se tourner vers l'habitat ancien, est accentué, à Grenoble, par des facteurs locaux d'ordre foncier, financier et politico-institutionnel.

Pour la bourgeoisie d'affaires locale, les quartiers Centre-sud à Montréal et Centre-sud à Sherbrooke représentent des espaces à revaloriser et à intégrer au centre-ville. Dans le cas de Montréal, il s'agit cependant d'une bourgeoisie d'affaires qui exerce une influence non seulement sur l'appareil politico-administratif local, mais aussi sur l'appareil gouvernemental provincial et fédéral, alors que dans le cas de Sherbrooke, il s'agit d'une petite bourgeoisie d'affaires dont l'influence se limite à l'instance politico-administrative municipale. De plus, le centre-ville de Montréal en est un d'envergure nationale, alors que celui de Sherbrooke en est un d'envergure locale avec une dimension régionale en perte de vitesse. Quant à la bourgeoisie traditionnelle présente à Grenoble dans la «vieille ville», elle se situe, contrairement à la bourgeoisie d'affaires de Montréal et de Sherbrooke, parmi les forces d'opposition au pouvoir municipal. Le centre ancien, dont fait partie Berriat, constitue pour elle, un centre local et régional à revaloriser par rapport au nouveau centre secondaire créé en périphérie. Pour les commerçants installés dans Berriat et impliqués dans l'Union de quartier, ce quartier constitue un espace à réanimer afin d'y maintenir la clientèle existante et d'y attirer une nouvelle clientèle.

Ces quartiers représentent également des enjeux pour l'instance politico-administrative locale. Il y a d'abord, un enjeu fiscal. À Montréal et à Sherbrooke, une grande partie des revenus de la municipalité repose sur l'impôt foncier calculé en fonction de la valeur des terrains et des bâtiments. Or, l'espace construit des quartiers Centre-sud se dévalorise. Leur revalorisation physique entraînerait leur revalorisation économique et ainsi leur revalorisation fiscale. À Grenoble, c'est la taxe professionnelle, fonction des activités économiques, qui constitue une part importante des revenus de la municipalité. La désindustrialisation du quartier Berriat implique donc une perte de revenus pour la Ville.

Il y a également un enjeu politico-institutionnel. Le déclin des quartiers Centre-sud à Montréal et Centre-sud à Sherbrooke contribue à l'affaiblissement du poids de ces deux villes par rapport à celui des municipalités périphériques. C'est un enjeu qui se pose d'abord à la Ville de Montréal qui voit son rôle prépondérant au sein de la Communauté urbaine de Montréal contesté par la Conférence des Maires de banlieue. Il se posera plus tard à la Ville de Sherbrooke au sein de la municipalité régionale de comté de Sherbrooke. Certes, Centre-sud et les autres quartiers ceinturant le centre-ville de Montréal et qui constituent la vieille ville, représentent une partie du territoire de Montréal plus importante en termes de logements, de population et d'activités économiques, que les quartiers Centre-sud et Centre-nord par rapport au territoire de Sherbrooke. Le déclin des premiers a donc plus d'impact sur l'ensemble de la ville que le déclin des seconds. Quant à la municipalité de Grenoble, la revitalisation du centre ancien par suite de la création d'un centre secondaire, lui permet de bien marquer sa centralité par rapport à la région grenobloise.

Enfin, il y a, pour les municipalités concernées, l'enjeu de la légitimité. Le déclin des quartiers étudiés représente un certain échec de la gestion municipale du territoire local. D'ailleurs, ces municipalités avaient elles-mêmes contribué, à des degrés divers, au déclin relatif de ces quartiers: Montréal, en mettant l'accent, au cours des années 1960 et au début des années 1970, sur les projets de «grandeur» plutôt que sur l'aménagement des quartiers, et sur l'extension du centre-ville vers l'est, ce qui ne fut pas sans affecter le quartier Centre-sud; Sherbrooke, en favorisant le développement d'un grand axe comme la rue King qui déborde le territoire du centre-ville, l'implantation de centres commerciaux à l'extérieur du centre-ville et l'expansion des quartiers périphériques; Grenoble, en créant la Villeneuve et un centre secondaire dans le quartier Sud.

L'intervention municipale en quartiers anciens prendra différentes formes suivant le compromis social visé de même que les obstacles rencontrés. À Montréal et Sherbrooke, le repositionnement social des quartiers Centre-sud et la rentabilisation fiscale de leur espace impliquent l'arrivée de nouveaux résidants mieux nantis: l'intervention municipale, bien qu'elle prenne en compte la demande des couches populaires en matière de logements, est donc davantage orientée en faveur des couches moyennes. Ces municipalités s'appuient alors plus sur le marché privé du logement et adoptent un mode d'intervention plutôt «libéral». Quant à la municipalité de Grenoble qui cherche à revitaliser la vocation résidentielle du quartier Berriat, elle privilégie le maintien d'une occupation populaire pour marquer son orientation «à gauche» et choisit un mode d'intervention plutôt «social».

En ce qui a trait aux obstacles rencontrés, il y a d'abord les procédures et financements de l'État: à Montréal et à Sherbrooke, plusieurs années se sont écoulées, par exemple, entre la première demande formulée par chacune des municipalités et l'octroi, par la S.H.Q., d'aides financières dans le cadre du P.A.Q.; à Grenoble, les financements accordés par l'État se sont avérés insuffisants pour inciter les propriétaires privés à restaurer leur(s) logement(s) sans qu'ils ne cherchent à rentabiliser, par des augmentations de loyer allant à l'encontre du projet municipal, l'investissement qu'ils devaient eux-mêmes consentir. Ainsi, les programmes mis de l'avant par l'État à l'échelle nationale ne correspondent pas nécessairement aux exigences locales.

C'est d'ailleurs pourquoi ces municipalités ont mis de l'avant leurs propres programmes d'action. Mais la question de l'autonomie municipale se trouve alors posée. Les municipalités de Montréal et Sherbrooke utilisent le même programme gouvernemental, le P.A.Q., dans le cadre duquel elles font de l'incitation à la restauration, mènent des travaux de réfection des infrastructures, aménagent des parcs et construisent des H.L.M. Toutefois, alors que la municipalité de Sherbrooke se limite à ces actions sur le quartier Centre-sud, la Ville de Montréal déborde le cadre du P.A.Q. et s'implique dans l'achat-restauration et la construction de logements autres que des H.L.M., accorde des subventions à la démolition-reconstruction de bâtiments résidentiels et applique, sur deux rues du quartier Centre-sud, son programme de revitalisation des artères commerciales. Enfin, la Ville de Montréal lance, en 1981, son programme d'intervention dans les quartiers anciens, le P.I.Q.A., qui s'appliquera sur une zone du quartier Centre-sud. La Ville possède les moyens juridiques (charte particulière), financiers (assiette fiscale considérable) et techniques (appareil municipal important) pour mettre en œuvre ses propres programmes d'action.

La Ville de Sherbrooke cherchera aussi à déborder le cadre du P.A.Q.. Elle aura aménagé, avec l'aide des propriétaires et commerçants, un semi-mail piétonnier sur la rue Wellington. Elle favorisera le «renouveau de la fonction administrative» du centre-ville par la construction d'un nouveau Palais de justice, qui relève toutefois du gouvernement du Québec, et l'agrandissement de l'hôtel de ville avec l'aide financière du gouvernement québécois. Elle interviendra également dans le secteur «Vieux-Nord» en préparant un règlement de zonage particulier et ce, avec l'aide technique du ministère des Affaires culturelles du Québec. La Ville a la capacité d'initier des projets, mais elle n'a pas les moyens d'en assumer, seule, la réalisation.

Quant à la municipalité de Grenoble, elle a élaboré sa propre politique d'intervention en quartiers anciens avant même que l'État ne réforme sa politique du logement. Elle s'est dotée d'un important service technique et d'une Agence d'urbanisme pour concevoir et mettre en œuvre sa politique et préparer des dossiers de demandes de subventions afin de profiter des différentes aides financières de l'État. Elle tentera ainsi de mener à bien une politique autonome en utilisant tous les moyens disponibles, dont ceux que lui fournit l'État, mais qu'elle ne contrôle pas nécessairement.

L'intervention municipale en quartiers anciens est également confrontée à la question de la propriété privée des logements. Certains propriétaires n'ont pas les moyens de faire restaurer leur(s) logement(s) et les aides publiques s'avèrent insuffisantes. D'autres choisissent d'attendre et de spéculer sur la valeur attachée à l'emplacement de leur(s) logement(s). À Grenoble, s'ajoute le problème du régime de la copropriété devenu dysfonctionnel, régime qui touche une importante partie du parc résidentiel. La propriété privée des logements pose également un autre problème: elle peut difficilement produire du logement restauré à vocation «sociale».

Les trois municipalités prennent différentes mesures pour pallier ces problèmes. Afin d'augmenter le nombre de logements restaurés, les municipalités de Montréal et Grenoble procèdent à l'acquisition de logements et à leur restauration, en en confiant la gestion à une société para-municipale (SOMHAM et R.F.I.V.G.). Ce qu'elles visent diffère toutefois quelque peu: la municipalité de Montréal, plus «libérale», cherche à faire réagir le marché privé du logement; la municipalité de Grenoble, plus «interventionniste», tend à contrôler davantage le parc résidentiel pour en accélérer la remise en état et lui conférer une «vocation sociale». Cette préoccupation sociale, les municipalités de Montréal et de Sherbrooke la marquent, dans les quartiers touchés, non par le biais de la restauration, mais par le biais de la construction de H.L.M.: d'une part, c'est une mesure très visible et, d'autre part, de nouveaux acteurs ont pris en main la «vocation sociale» du logement restauré: les coopératives d'habitation.

Dans le quartier Berriat à Grenoble, c'est la nouvelle municipalité de gauche, mais non-communiste, expression du poids de la nouvelle petite bourgeoisie dans la dynamique sociale de la ville, qui suscite la demande «sociale» en matière de réhabilitation de l'habitat ancien, par le biais de la Commission de restauration du Centre social dont les membres sont très proches de la coalition au pouvoir. C'est également la municipalité qui apparaît comme le seul acteur capable de restaurer des logements destinés aux couches populaires. Dans les quartiers Centre-sud à Montréal et Centre-sud à Sherbrooke, la demande «sociale» en matière de restauration résidentielle s'exprime par la voix des organismes populaires très souvent mis sur pied à l'initiative d'animateurs appartenant à la nouvelle petite bourgeoisie. La réponse à cette demande se trouve offerte par les coopératives d'habitation formée aussi, très souvent, sous l'impulsion et avec l'aide de représentants de cette nouvelle petite bourgeoisie. Par contre, c'est aussi une population appartenant à cette nouvelle petite bourgeoisie qui remplace progressivement dans ces quartiers les résidants appartenant aux couches populaires... La nouvelle petite bourgeoisie se fait donc à la fois l'avocat des couches populaires et son concurrent en quartiers anciens. Bien sûr, cette nouvelle petite bourgeoisie se trouve fractionnée en différents groupes. Mais on peut faire l'hypothèse que ce sont ses éléments «progressistes» qui se sont les premiers établis en quartiers anciens par solidarité avec les couches populaires et qui ont contribué, par la suite, à attirer de nouveaux résidants leur ressemblant en termes d'appartenance sociale, les «pionniers et missionnaires» précédant les «colons».

L'intervention des municipalités en quartiers anciens se trouve aussi confrontée, en ce qui concerne les équipements collectifs, à l'intervention d'autres acteurs publics. Dans les quartiers Centre-sud à Montréal et à Sherbrooke, les fermetures d'écoles qui font suite à une baisse de la clientèle scolaire et qui relèvent des commissions scolaires locales, contribueront à éloigner les jeunes ménages familiaux que les municipalités souhaitent voir s'y installer. De même, dans le quartier Berriat à Grenoble, la décision du ministère de l'Éducation nationale de fermer des classes, vient-elle en contradiction avec le projet de la municipalité d'y attirer de jeunes ménages familiaux. De plus, dans les quartiers Centre-sud à Montréal et à Sherbrooke, l'implantation d'un C.L.S.C. qui permet à la nouvelle petite bourgeoisie professionnelle de s'impliquer dans la vie communautaire des couches populaires qui y résident relève de l'État. Cependant, dans le quartier Berriat à Grenoble, c'est la municipalité qui initie la création du Centre social dont les animateurs, appartenant à cette nouvelle petite bourgeoisie, vont contribuer à l'expression de diverses demandes sociales qui viendront légitimer les interventions municipales...

L'absence de maîtrise sur les agents économiques constitue un autre obstacle à l'intervention des municipalités en quartiers anciens, obstacle qu'elles cherchent toutefois, à divers degrés, à dépasser, étant donné l'importance des activités économiques comme facteurs de revitalisation de ces quartiers. La Ville de Montréal crée à la fin des années 1970, la C.I.D.E.M. et, de concert avec les agents économiques, elle mettra de l'avant un programme d'implantation de parcs industriels qui ne touchera cependant pas directement le quartier Centre-sud. Le quartier sera toutefois touché, mais timidement, par le programme de coopération industrielle de Montréal (PROCIM) lancé au début des années 1980. En fait, comme nous l'avons noté, c'est sur la nouvelle vocation tertiaire du quartier, qu'elle a contribué à développer, que la Ville compte pour revitaliser les activités économiques de Centre-sud. À Sherbrooke, la municipalité s'était associée, avant le début de la mise en œuvre des P.A.Q. dans le quartier Centre-sud, aux commerçants du C.D.A. pour favoriser le redéveloppement de ce dernier. Toutefois, dans le cadre des P.A.Q., elle n'interviendra pas de manière significative sur les activités économiques du quartier. Cependant, comme Montréal, elle favorise, pour le

Centre-ville dont fait partie Centre-sud, une vocation tertiaire, les activités secondaires étant reléguées au parc industriel. À Grenoble, la municipalité, dans le but de freiner le mouvement de désindustrialisation qui affecte l'ensemble de la ville et de maintenir dans le quartier Berriat des postes d'emplois secondaires pour lui conserver une vocation populaire, lance l'opération C.E.M.O.I. qui sera suivie de l'opération JAY. La municipalité, tout en poursuivant sa recherche de solutions, marque ainsi son projet économique pour Berriat, différent donc de celui de Montréal et Sherbrooke pour les quartiers Centre-sud.

Enfin, l'intervention municipale en quartiers anciens soulève la question du périmètre opérationnel. Les P.A.Q. dans les quartiers Centre-sud à Montréal et à Sherbrooke, de même que l'O.G.R.I. et la Z.A.D. dans le quartier Berriat à Grenoble, sont limités à des zones déterminées à l'intérieur de ces quartiers. La délimitation d'un périmètre opérationnel favorise la coordination des différents volets de l'intervention municipale, nécessaire pour engendrer un processus général de revitalisation. Cependant, cette délimitation vient ralentir l'effet d'entraînement de l'action municipale sur l'ensemble du quartier, dans la mesure où, à l'extérieur de la zone opérationnelle, il n'y a plus, par exemple, d'aides financières à la restauration accordées aux propriétaires privés. Elle peut aussi, dans le cas de la Z.A.D., créer un mouvement spéculatif hors-zone, là où il n'y a pas de contrôle sur les transactions et là où on peut donc librement profiter de la création d'une nouvelle rente sur la zone voisine, revalorisée par suite de l'intervention municipale. Cette délimitation de l'intervention municipale engendre donc une situation d'«inéquité spatiale» à l'intérieur même des quartiers concernés. Ici, la municipalité investit massivement dans le logement et les équipements; là, très peu. Ici, un propriétaire peut se prévaloir de prêts et subventions à la restauration; là, il ne peut pas. Ici, un propriétaire ne peut disposer de son logement comme il l'entend; là, il le peut.

Les municipalités réagissent de diverses manières à ce problème. Pour la Ville de Montréal, celui-ci se présente d'abord quelque peu différemment. Le P.A.Q. Terrasse-Ontario concerne non pas une zone, mais treize îlots répartis sur l'ensemble du territoire du secteur. De plus, la municipalité accorde des aides financières à la restauration sur l'ensemble du territoire de la ville. En 1981, elle lance un nouveau programme: le programme d'intervention dans les quartiers anciens (P.I.Q.A.) qui, plutôt que d'élargir le périmètre opérationnel, le restreint. Il s'applique d'abord sur quatre zones situées dans différents quartiers de la «ville traditionnelle», dont une dans Centre-sud. Il s'agit d'un programme d'intervention à plusieurs volets, lesquels impliquent la participation de divers services de la Ville sous la coordination du Service de l'urbanisme. La municipalité concentre donc ses actions en quartiers anciens sur de plus petites zones, mais distribuées sur un plus large territoire, et elle continue, tout de même, à allouer des financements à la restauration du logement à la grandeur du territoire de la ville. La municipalité de Sherbrooke cherche aussi, de son côté, à intervenir au-delà des limites des deux P.A.Q. mis en œuvre dans le quartier Centre-sud. Elle lancera, au début des années 1980, un programme d'action intitulé «Un Centre-ville à vivre» qui couvrira l'ensemble du centre-ville. Enfin, à Grenoble, la municipalité qui n'intervient pas dans la vieille ville que sur le quartier Berriat signe, au printemps 1980, avec l'État et l'A.N.A.H., une convention dans le cadre des nouvelles opérations programmées d'amélioration de l'habitat. Le territoire de l'O.P.A.H. Berriat dépasse largement celui de l'O.G.R.I. et de la Z.A.D. pour couvrir tout le quartier.

Les trois quartiers que nous avons étudiés ont certes vu, au cours des années 1970, leur position modifiée par rapport à l'ensemble du territoire municipal. Le quartier Centre-sud à Montréal a poursuivi son intégration au centre-ville, enclenchée dans les années 1960. Sa partie sud-ouest s'est vue consacrer une fonction tertiaire et sa partie nord-ouest, soit le secteur Terrasse-Ontario, s'est vue conférer une vocation résidentielle multi-classiste: les couches populaires y représentent toujours une bonne part des occupants, mais de nouveaux résidants appartenant aux nouvelles couches moyennes viennent s'y installer. Quant au quartier Centre-sud à Sherbrooke, il accueille également de nouveaux résidants appartenant aux nouvelles couches moyennes tout en conservant une population à faible revenu, sa principale artère commerciale voit se multiplier les commerces de type «nouvelle culture» et le centre des affaires, qui lui est adjacent, se développe considérablement. Enfin, le quartier Berriat à Grenoble, de par les nombreux commerces qui y changent de main, devient de plus en plus marqué par la présence d'une population étrangère, mais d'un autre côté, s'y accélère l'arrivée d'une population de cadres moyens et, dans une moindre mesure, d'employés, alors que la population ouvrière y perd de son importance. Le quartier devient plus hétérogène.

Le processus de mobilité intra-urbaine se trouve donc activé par la revalorisation de ces quartiers. Ces derniers s'ouvrent à de nouvelles activités et à de nouvelles populations et perdent, en partie, leur rôle d'espace de refuge pour certaines fractions des couches populaires. L'instance politico-administrative locale a participé à l'ouverture de ces quartiers. Certes, les mutations dont ils ont été l'objet, se seraient probablement produites sans que les municipalités n'aient à intervenir. Mais l'intervention municipale a contribué à la fois à accélérer la réanimation de ces quartiers et à en atténuer certains effets.

À Montréal, la municipalité a, par diverses actions, favorisé la pénétration du centre-ville dans le quartier Centre-sud; elle y a aussi activé, via l'incitation à la restauration privée de même que l'achat-restauration et la construction de logements par la SOMHAM, la revalorisation du stock de logements pour la petite bourgeoisie professionnelle. Toutefois, elle a aussi participé, par la construction de H.L.M., au maintien dans le quartier de résidants appartenant aux couches populaires. À Sherbrooke, la municipalité a, par les aménagements de la rue Wellington, appuyé le redéveloppement du centre des affaires, ce qui ne fut pas sans effet sur le quartier Centre-sud; elle a également agi, par la mise en œuvre des deux P.A.Q., comme catalyseur du processus de revalorisation de l'habitat du quartier, le rendant ainsi plus attrayant pour les nouvelles couches moyennes. Cependant, la municipalité a aussi contribué, par la construction de H.L.M., à maintenir dans le quartier une population à faible revenu. Enfin, à Grenoble, la municipalité a renforcé, par l'implantation d'un gros équipement comme le Centre social et la revalorisation du parc résidentiel, l'attrait du quartier Berriat pour les cadres moyens. Mais la municipalité a aussi contribué, par la prise en charge de la réhabilitation de l'habitat, la création d'une Z.A.D. et la construction de quelques H.L.M., au maintien des couches populaires dans le quartier.

Les municipalités ne sont, bien sûr, pas les seuls acteurs contribuant à la mutation de ces quartiers anciens. Différentes classes et fractions de classes, et divers groupes sociaux (formés à partir d'autres rapports que les rapports de production) participent aussi à la dynamique de ces quartiers: les couches populaires résidantes qui revendiquent, agissent et/ou subissent; la nouvelle petite bourgeoisie qui y anime la vie communautaire, suscite des mouvements sociaux et trouve un nouvel attrait à ces quartiers; la petite bourgeoisie d'affaires qui quitte les lieux ou s'y maintient, attend ou fait pression; la bourgeoisie industrielle traditionnelle qui se voit concurrencée par la grande bourgeoisie moderniste...; les locataires qui ont de mauvaises conditions de logement; les propriétaires-occupants trop vieux et ou pas assez riches; les propriétaires-bailleurs qui restaurent avec des hausses variables de loyer ou qui spéculent sur l'augmentation de valeur de leur(s) propriété(s); les promoteurs qui cherchent à faire de bonnes affaires; les entrepreneurs qui rencontrent des difficultés à travailler dans le «vieux»; les populations immigrées qui marquent l'espace de leurs signes... Et il y a aussi l'État avec ses programmes d'aide au logement et aux équipements publics, ses interventions directes, ses politiques économiques, etc.

La revitalisation des quartiers anciens n'est pas sans lien avec les politiques de l'État en matière de consolidation du tissu urbain, lesquelles correspondent à la phase de décroissance-stagnation de l'économie. Les programmes de l'État se sont toutefois largement inspirés de ce qui se passait sur la scène locale. Ainsi, la Ville de Montréal avait déjà son propre programme d'aide à la restauration résidentielle avant que le gouvernement fédéral n'instaure le sien. À Sherbrooke et à Montréal, des marchands se sont regroupés

en associations afin de promouvoir la «réanimation» de leurs rues commerciales avant que le gouvernement du Québec n'encourage la création de «Sociétés d'initiative et de développement d'artères commerciales» (S.I.D.A.C.). La
Ville de Sherbrooke a lancé son projet «Un Centre-ville à vivre» avant que le
ministère des Affaires municipales ne publie son document d'appui à la revitalisation des centres-villes et ne mette en place le programme «Revi-
Centre». L'appareil politico-administratif montréalais a élaboré après l'aboli-
tion par le gouvernement fédéral du programme d'amélioration de quartier,
son propre programme d'intervention dans les quartiers anciens dont une
version québécoise a été à l'étude au ministère des Affaires municipales. Enfin, à Grenoble, la municipalité a mis de l'avant sa propre politique des quartiers anciens avant que l'État n'annonce sa politique d'amélioration de l'habitat ancien.

La question du pouvoir local se trouve alors posée, le pouvoir local
qui n'est pas le simple jeu des forces nationales dans le champ local, comme
l'appareil politico-administratif municipal n'est pas le simple prolongement
local de l'appareil central. Il y a des forces sur la scène locale qui viennent en
particulariser la dynamique par rapport à celle de la scène nationale. En fait,
le pouvoir local, c'est le jeu des pouvoirs qu'exercent sur la scène locale différentes forces internes et externes. Le pouvoir local n'est donc pas réductible
au pouvoir de l'instance politico-administrative municipale. Cependant, le
pouvoir municipal joue tout de même un rôle important dans la dynamique
urbaine. Ainsi, les municipalités de Montréal, Sherbrooke et Grenoble, bien
que ne maîtrisant pas l'ensemble des forces qui sont présentes en quartiers
anciens, ont contribué, par leurs interventions, à infléchir le devenir de ces
quartiers.

Annexes

TABLEAU I

Évolution de la population et des ménages
Quartiers périphériques au centre-ville
Ville de Montréal
1971, 1976, 1981

	1971		1976		1981		Variation en % 1971-1976		Variation en % 1976-1981		Variation en % 1971-1981	
	Pop.	Mén.	Pop.	Mén.	Pop.	Mén.	Pop.	Mén.	Pop.	Mén.	Pop.	Mén.
Centre-sud	54 695	18 770	42 272	17 375	37 797	16 915	-22.7	-7.4	-10.6	-2.6	-30.9	-9.9
Terrasse-Ontario (Centre-sud)	15 010	5 920	10 903	5 320	9 949	4 995	-27.4	-10.1	-8.7	-6.1	-33.7	-15.6
Pointe-Saint-Charles	19 710	5 415	16 021	5 105	14 048	5 240	-18.7	-5.7	-12.3	2.6	-28.7	-3.2
Saint-Henri	33 720	9 480	26 645	8 085	21 883	8 185	-21	-14.7	-17.9	1.2	-35.1	-13.7
Saint-Louis	65 940	20 035	55 915	19 580	46 415	18 835	-15.2	-2.3	-17	-3.8	-29.6	-6
Montréal (ville)	1 214 355	394 725	1 080 546	405 820	980 354	409 870	-11	2.8	-9.3	1	-19.3	3.8

Note:
Centre-sud: secteurs de recensement 32 à 54;
Terrasse-Ontario: secteurs de recensement 44, 45, 46, 49, 50 et 52 (approximativement);
Pointe-Saint-Charles: secteurs de recensement 71 à 76;
Saint-Henri: secteurs de recensement 67 à 70 et 77 à 84;
Saint-Louis: secteurs de recensement 132 à 139, 161 à 165 et 167 à 170.

Source: Compilation à partir des données de Statistique Canada, recensements de 1971, 1976 et 1981.

TABLEAU II

Évolution des groupes d'âges
Quartiers périphériques au centre-ville
Ville de Montréal
1971, 1976, 1981
(hommes et femmes, en % de la population totale)

	Centre-sud		Terrasse-Ontario		Pointe-Saint-Charles		Saint-Henri		Saint-Louis		Montréal (ville)	
	0-19 ans	65 ans et +	0-19 ans	65 ans et +	0-19 ans	65 ans et +	0-19 ans	65 ans et +	0-19 ans	65 ans et +	0-19 ans	65 ans et +
1971	31.6	11	29.4	12.1	42.9	7.8	39.3	8.5	34.6	3.2	31.4	9
1976	25.6	13.2	22.3	15.5	37.4	9.5	32.6	9.2	31.3	8.1	27.3	11
1981	19.4	15.6	17.4	17.7	31.9	10.9	29	12.3	26.3	8.3	23.2	13.1
Variation 1971-1976	-6	2.2	-7.1	3.4	5.5	1.7	-6.7	0.7	-3.3	4.9	-4.1	2
Variation 1971-1981	-6.2	2.4	-4.9	2.2	-5.5	1.4	-3.6	3.1	-5	0.2	-4.1	2.1
Variation 1971-1981	-12.2	4.6	-12	5.6	-11	3.1	-10.3	3.8	-8.3	5.1	-8.2	4.1

Note:
Centre-sud: s.r. 32 à 54.
Terrasse-Ontario: s.r. 44, 45, 46, 49, 50 et 52 (approximativement)
Pointe-Saint-Charles: s.r. 71 à 76
Saint-Henri: s.r. 67 à 70 et 77 à 84.
Saint-Louis: s.r. 132 à 139, 161 à 165 et 167 à 170.

Source: Compilation à partir des données de Statistique Canada, recensements de 1971, 1976 et 1981.

TABLEAU III

Évolution des groupes professionnels
Quartiers périphériques au centre-ville
Ville de Montréal
1971-1981
(hommes et femmes)

	Centre-sud			Terrasse-Ontario			Pointe-Saint-Charles			Saint-Henri			Saint-Louis			Montréal (ville)		
	1971 Nombre	1981 Nombre	Var. %	1971 Nombre	1981 Nombre	Var. %	1971 Nombre	1981 Nombre	Var. %	1971 Nombre	1981 Nombre	Var. %	1971 Nombre	1981 Nombre	Var. %	1971 Nombre	1981 Nombre	Var. %
Directeurs, gérants, administrations	302	720	125	90	220	144.4	110	180	63.6	135	300	122.2	370	1 235	233.8	21 045	37 720	79.2
Enseignants	295	565	91.5	60	175	191.7	95	115	21	140	200	42.9	515	1 115	116.5	16 850	20 450	21.4
Médecine et santé	550	700	27.3	125	205	64	90	90	0	145	295	103.4	885	885	0	22 130	26 585	20.1
Professions techn. sociales, relig. et artistiques	475	1 280	169.5	135	330	144.4	150	200	33.3	245	420	71.4	915	2 595	183.6	25 340	40 780	60.9
Employés de bureau	2 705	3 020	11.6	660	765	15.9	1 060	1 205	13.7	1 680	1 555	-7.4 *	2 980	3 515	17.9	102 075	107 015	4.8
Travailleurs spéc. dans la vente	1 110	945	-14.9	305	245	-19.7	285	300	5.3	590	610	3.4	1 325	1 200	-9.4	43 170	38 480	-10.9
Travailleurs spéc. dans les services	2 820	3 085	9.4	725	805	11	735	750	2	1 525	1 335	-12.5	5 370	4 960	-10	59 100	66 250	12.1
Travailleurs dans le secteur primaire	90	95	5.5	15	30	100	20	20	0	35	75	114.3	150	150	0	2 340	2 485	6.2
Travailleurs des industries de transf.	855	715	-16.4	180	135	-25	285	295	3.5	640	560	-12.5	1 120	890	-20.5	17 845	18 685	4.7
Usineurs et travailleurs spéc. dans la fabr., le montage et la réparation de produits	2 555	2 210	-13.5	535	430	-19.6	905	675	-25.4	1 590	1 650	3.8	5 395	4 920	-8.8	70 395	73 595	4.5
Travailleurs du bât.	745	530	-28.9	200	125	-37.5	210	240	14.3	405	285	-29.6	1 020	650	-36.3	22 190	18 505	-16.6
Personnel d'exploitation des transp.	1 065	705	-33.8	210	195	-7.1	515	270	-47.6	780	540	-30.8	740	580	-21.6	19 300	18 075	-6.3
Autres	2 125	1 005	-52.7	475	215	-54.7	550	435	-20.9	1 240	615	-50.4	1 655	850	-48.6	32 645	22 415	-31.3
Total	15 710	15 575	0.90%	3 715	3 875	4.30%	5 010	4 775	-4.70%	9 150	8 440	-7.8	22 580	23 545	4.30%	454 425	491 040	8.1

Source: Compilation à partir des données de Statistique Canada, recensements de 1971 et 1981.

TABLEAU IV

Évolution de la population et des ménages par quartiers
Ville de Sherbrooke
1971, 1976, 1981

	1971		1976		1981		Variation en % 1971-1976		Variation en % 1976-1981		Variation en % 1971-1981	
	Pop.	Mén.	Pop.	Mén.	Pop.	Mén.	Pop.	Mén.	Pop.	Mén.	Pop.	Mén.
Centre-sud	3 885	1 370	2 968	1 275	2 323	1 150	-26.6	-6.9	-21.7	-9.8	-40.2	-16.1
Centre-nord	3 295	1 150	2 400	970	2 205	900	-27.2	-29.2	-8.1	-7.2	-33.1	-34.3
Est	26 005	6 995	25 233	8 210	24 839	9 400	-3	17.4	-1.6	14.5	-4.5	34.4
Ouest	26 485	7 210	24 646	7 885	22 821	8 275	-6.9	9.4	-7.4	4.9	-13.8	14.8
Nord	21 030	6 030	21 556	7 000	21 879	8 060	2.5	16.1	14.2	31.9	17	53.1
Sherbrooke (ville)	80 700	22 755	76 803	25 340	74 067	27 785	-4.8	11.4	-3.6	9.6	-8.2	22.1

Note:
Centre-sud: s.r. 13
Centre-nord: s.r. 12
Est: s.r. 1, 14, 15, 16, 17
Ouest: s.r. 2, 3, 4, 5, 6, 7, 8
Nord: s.r. 9, 10, 11, 18, 19

Source: Compilation à partir des données de Statistique Canada, recensements de 1971, 1976 et 1981

TABLEAU V

Évolution des groupes d'âges par quartiers
Ville de Sherbrooke
1971, 1976, 1981
(hommes et femmes, en % de la population totale)

	Centre-sud		Centre-nord		Est		Ouest		Nord		Sherbrooke (ville)	
	0-19 ans	65 ans et plus	0-19 ans	65 ans et plus	0-19 ans	65 ans et plus	0-19 ans	65 ans et plus	0-19 ans	65 ans et plus	0-19 ans	65 ans et plus
1971	29.9	10.9	24.3	16.5	37.9	5.7	38.9	6.8	39.5	7.7	38.2	7.3
1976	24.2	16.7	18.2	21.5	33.5	8	33.6	9.4	34.7	9	33.1	9.5
1981	18	20.4	14.7	22	27.9	11.6	28.4	11.2	26.3	9.2	27.9	11.7
Variation 1971-1976	-5.7	5.8	-6.1	5	-4.4	2.3	-5.3	2.6	-4.8	1.3	-5.1	2.2
Variation 1976-1981	-6.2	3.7	-3.5	0.5	-5.6	3.6	-5.2	1.8	-8.4	0.2	-5.2	2.2
Variation 1971-1981	-11.9	9.5	-9.6	5.5	-10	5.9	-10.5	4.4	13.2	1.5	-10.3	4.4

Note:
Centre-sud: s.r. 13
Centre-nord: s.r. 12
Est: s.r. 1, 14, 15, 16, 17
Ouest: s.r. 2, 3, 4, 5, 6, 7, 8
Nord: s.r. 9, 10, 11, 18, 19

Source: Compilation à partir des données de Statistique Canada, recensements de 1971, 1976 et 1981.

TABLEAU VI

Évolution des groupes professionnels par quartiers
Ville de Sherbrooke
1971-1981
(hommes et femmes)

	Centre-sud			Centre-nord			Est			Ouest			Nord			Sherbrooke (ville)		
	1971 Nbre	1981 Nbre	Var. %	1971 Nbre	1981 Nbre	Var. %	1971 Nbre	1981 Nbre	Var. %	1971 Nbre	1981 Nbre	Var. %	1971 Nbre	1981 Nbre	Var. %	1971 Nbre	1981 Nbre	Var. %
Directeurs, gérants administrateurs	35	15	-57.1	55	45	-18.2	275	800	190.9	330	740	124.2	710	1 315	85.2	1 405	2 915	107.5
Enseignants	45	45	0	125	100	-20	655	560	-14.5	580	750	29.3	665	1 225	84.2	2 070	2 680	29.5
Médecine et santé	45	35	-22.2	75	85	13.3	1 175	1 205	2.5	535	705	31.8	540	940	74.1	2 370	2 970	25.3
Professions techn., sociales, relig. et artistiques	35	75	114.3	30	180	500	425	610	43.5	525	950	80.9	580	1 135	95.7	1 595	2 950	85
Employés de bureau	230	140	-39.1	210	80	-61.9	1 480	2 130	43.9	1 470	1 795	22.1	1 325	2 030	53.2	4 715	6 175	31
Travailleurs spéc. dans la vente	110	80	-27.3	80	80	0	1 030	1 235	19.9	945	860	-.9	925	1 100	18.9	3 090	3 355	8.6
Travailleurs spéc. dans les serv.	240	160	-33.3	240	155	-35.4	1 150	1 755	52.6	1 150	1 520	32.2	650	1 230	89.2	3 430	4 820	40.5
Travailleurs dans le secteur primaire	25	25	0	10	25	150	85	195	129.4	70	140	100	65	150	130.8	255	535	109.8
Travailleurs des industries de transformation	125	50	-60	60	50	-16.6	475	585	23.2	740	690	-6.8	240	430	79.2	1 640	1 805	10.1
Usineurs et travailleurs spéc. dans la fabric., montage et réparation	140	95	-32.1	125	80	-36	1 060	1 595	50.5	1 250	1 200	-4	520	685	31.7	3 095	3 655	18.1
Travailleurs du bât.	60	45	-25	50	30	-40	665	635	-4.5	460	490	6.5	280	270	-3.6	1 515	1 470	-3
Personnel d'expl. des transports	35	15	-57.1	35	15	-57.1	340	320	-5.9	340	335	-1.5	165	185	12.1	915	870	-4.9
Autres	100	50	-50	105	30	-71.4	475	375	-21	465	440	-5.4	305	255	-16.4	1 450	1 150	-20.7
TOTAL	1 225	830	-32.2	1 200	955	-20.4	9 290	12000	29.2	8 860	10615	19.8	6 970	10950	57.1	27545	35350	28.3

Source: Compilation à partir des données de Statistique Canada, recensements de 1971 et 1981.

TABLEAU VII

Évolution de la population et des ménages
Quartier Berriat, Grenoble
1968, 1975, 1979

1968		1975		1979		1968-1975 Variation en %		1975-1979 Variation en %		1968-1979 Variation en %	
Pop.	Mén.	Pop.	Mén.	Pop.	Mén.	Pop.	Mén.	Pop.	Mén.	Pop.	Mén.
19 970	8 085	18 500	8 608	17 419	8 521	-7.4	6.5	-5.8	-1	-12.8	5.4

Source: Compilation à partir des données de: AURG, Observation démographique 1962-1968-1975 - Quartier Berriat-Saint-Bruno, septembre 1976 et Fichier permanent du logement (FIPERLOG), fin décembre 1979.

TABLEAU VIII

Évolution des groupes d'âges
Quartier Berriat, Grenoble
1968, 1975, 1979
(hommes et femmes, en % de la population totale)

	0-19 ans	20-29 ans	30-64 ans	65 ans et plus	Total
1968	24.2	17.3	44.3	14.2	100
1975	21	20	41.5	17.5	100
1979	19	22	36	23	100

Source: Compilation à partir des données de: A.U.R.G., 1976 et FIPERLOG, 1979.

TABLEAU IX

**Évolution de la population selon la nationalité
Quartier Berriat, Grenoble
1968, 1975, 1979**

(hommes et femmes, en % de la population totale)

	1968	1975	1979
Français	83.5	80.9	81.8
Devenus français	7.4	6.5	5.9
Étrangers	9.1	12.6	12.3
dont: Italiens	67.3	46.3	40.1
Espagnols	10.4	9.5	6.7
Portugais	2.8	10.2	12.2
Maghrébins	8.9	22.4	29.3
Autres	10.6	11.6	11.7
Population totale	100	100	100

Source: Compilation à partir des données de: A.U.R.G., 1976.

TABLEAU X

Évolution des groupes professionnels
Quartier Berriat, Grenoble
1968, 1975, 1979
(hommes et femmes)

	Artisans et petits commerçants		Individus, gros commerçants, cadres supérieurs et professeurs libérales		Cadres moyens		Employés		Ouvriers		Personnel de service		Autres		Total	
	Nbre	%	Nbre	%	Nbre	%	Nbre	%	Nbre	%	Nbre	%	Nbre	%	Nbre	%
1968	792	9	526	6	1 141	12.9	1 659	18.8	3 893	44.2	678	7.7	122	1.4	8811	100
1975	692	7.6	542	5.9	1 295	14.2	1 877	20.6	3 887	42.7	707	7.8	109	1.2	9109	100
1979	612	7	543	6.3	1 494	17.2	1 903	21.9	3 358	38.7	669	7.7	103	1.2	8682	100

Source: Compilation à partir des données de: A.U.R.G., 1976 et FIPERLOG, 1979.

BIBLIOGRAPHIE

AGENCE D'URBANISME DE L'AGGLOMÉRATION GRENOBLOISE, *Centre et quartiers anciens à Grenoble*, Grenoble, A.U.A.G., 1975, 47 p. + cartes.

AGENCE D'URBANISME DE L'AGGLOMÉRATION GRENOBLOISE, *Essai de programmation H.L.M.*, Note de travail, document provisoire, 28 août 1973, 46 p.

AGENCE D'URBANISME DE L'AGGLOMÉRATION GRENOBLOISE, *Une Politique pour le centre-ville*, Grenoble, A.U.A.G., février 1970.

AGENCE D'URBANISME DE L'AGGLOMÉRATION GRENOBLOISE, *Une Politique de rénovation du centre-ville*, Grenoble, A.U.A.G., 6 octobre 1971, 10 p.

AGENCE D'URBANISME DE LA RÉGION GRENOBLOISE, *L'Artisanat dans le quartier Berriat-Saint-Bruno*, Grenoble, A.U.R.G., 1974.

AGENCE D'URBANISME DE LA RÉGION GRENOBLOISE, *Création d'une zone d'activités économiques - 10, 12, 14, rue Ampère - Un élément d'une politique de restauration du quartier Berriat*, Grenoble, A.U.R.G., 1978, 11 p.

AGENCE D'URBANISME DE LA RÉGION GRENOBLOISE, *Dossier habitat de l'agglomération grenobloise*, Grenoble, SIEPARG, 1981, 156 p.

AGENCE D'URBANISME DE LA RÉGION GRENOBLOISE ET SERVICES TECHNIQUES DE LA VILLE DE GRENOBLE, *Programme d'action foncière de la Ville de Grenoble*, Grenoble, A.U.R.G., janvier 1976, 14 p. + tableaux.

AGENCE D'URBANISME DE LA RÉGION GRENOBLOISE, *Note de travail sur Berriat en vue de la Commission restauration du 26/02/74.*

AGENCE D'URBANISME DE LA RÉGION GRENOBLOISE, *Observation démographique 1962-1968-1975 - Quartier Berriat - St-Bruno*, Grenoble, A.U.R.G., 61 p. + annexes.

ALLEN, Irving, «The Ideology of Dense Neighborhood Redevelopment: Cultural Diversity and Transcendent Community Experience», *Urban Affairs Quarterly*, vol. 15, no 4, 1980, pp. 409-428.

A.R.I.G., voir ASSOCIATION DE RESTAURATION IMMOBILIÈRE GROUPÉE BERRIAT-SAINT-BRUNO.

ASSOCIATION DES MARCHANDS ET PROFESSIONNELS DE LA RUE ONTARIO CENTRE, *Promotion et administration 1984*, Montréal, août 1984.

ASSOCIATION DE RESTAURATION IMMOBILIÈRE GROUPÉE BERRIAT-SAINT-BRUNO, *Action foncière à Berriat,* Grenoble, A.R.I.G., le 27 mars 1981, 2 p.

ASSOCIATION DE RESTAURATION IMMOBILIÈRE GROUPÉE BERRIAT-SAINT-BRUNO, *Rapport d'étude sur le périmètre Berriat - St-Bruno,* Grenoble, A.R.I.G., octobre 1974, 87 p.

ASSOCIATION DE RESTAURATION IMMOBILIÈRE GROUPÉE BERRIAT-SAINT-BRUNO, *Rapport moral - Juin 1977,* 9 p.

ASSOCIATION DE RESTAURATION IMMOBILIÈRE GROUPÉE BERRIAT-SAINT-BRUNO, *Rapport moral - Juin 1980,* 14 p.

ASSOCIATION DE RESTAURATION IMMOBILIÈRE GROUPÉE BERRIAT-SAINT-BRUNO, *La ZAD à Berriat - critères de préemption,* Grenoble, ARIG, 26 janvier 1977.

A.U.A.G., voir AGENCE D'URBANISME DE L'AGGLOMÉRATION GRENOBLOISE.

AUGER, Deborah A., «The Politics of Revitalization in Gentrifying Neighborhoods: The Case of Boston South End», *Journal of the American Planning Association,* vol. 45, no 4, 1979, pp. 515-522.

A.U.R.G., voir AGENCE D'URBANISME DE LA RÉGION GRENOBLOISE.

BALLAIN, René et Gilbert LECONTE avec la participation de R. BRIQUE, C. JACQUIER et A. JEANTET, *Processus de détermination des prix d'accès au logement réhabilité,* Grenoble, GETUR, 1979, 213 p.

BALLAIN, René, René BRIQUE et Claude JACQUIER, *L'Évolution des quartiers anciens,* Grenoble, GETUR, Mars 1980, (Plan Construction), 250 p.

BALLAIN, René et Claude JACQUIER, *Les Conséquences sociales de la restauration - Analyse de quatre opérations de restauration immobilière groupée,* Grenoble, GETUR, mars 1977, (ministère de l'Équipement, Plan Construction), 196 p.

BALLAIN, René et Jean MAGLIONE, *De l'usage des normes dans l'amélioration du logement ancien,* Grenoble, GETUR, mai 1975, (ministère de l'Équipement), 113 p.

La Barrière, journal d'information du quartier Berriat, no 3, mars 1981.

BERNIER, M., «Ca brûle dans le Centre-sud», in SIMONEAU (1977).

BLACKBURN, Yves, Suzanne DAGENAIS, Jean ROBITAILLE et Julie TREMBLAY, *Étude d'impact du programme d'intervention dans les quartiers anciens - Secteur Champlain,* Projet terminal en urbanisme, Université du Québec à Montréal, août 1984, 27 p. + annexes.

BLANC, Maurice, «De la rénovation urbaine à la restauration», *Espaces et Sociétés,* nos 30-31, juillet-décembre 1979, pp. 5 à 14.

BLEITRACH, Danielle, «Région métropolitaine et appareils hégémoniques locaux», *Espaces et Sociétés,* mars-juin 1977, nos 20-21, pp. 47-65.

BLEITRACH, Danielle, Jean LOJKINE, Ernest OARY, Roland DELACROIX et Christian MAHIEU, *Classe ouvrière et social-démocratie: Lille et Marseille,* «Problèmes», Paris, Éditions sociales, 1981, 329 p.

BOISVERT, André B., *L'Aménagement du centre-ville de Sherbrooke,* texte présenté aux étudiants de géographie de l'Université de Sherbrooke dans le cadre d'un cours d'aménagement urbain, lundi 1er février 1982, Ville de Sherbrooke, Division d'urbanisme, février 1982, 28 p.

BOISVERT, André B., *Essai de définition socio-économique des quartiers à Sherbrooke*, Sherbrooke, Ville de Sherbrooke, Division d'urbanisme, août 1979, 29 p.

BOURDIN, Alain, «Restauration/réhabilitation: l'ordre symbolique de l'espace néo-bourgeois», *Espaces et Sociétés*, nos 30-31, juillet-décembre 1979, pp. 15-35.

BOYER, Richard, *L'opération 20 000 logements de la Ville de Montréal: l'analyse du programme et de son support organisationnel*, thèse présentée à l'Université du Québec à Montréal comme exigence partielle de la maîtrise ès arts (science politique), 1986.

BREAULT, N., «Comité logement Centre-sud», in SIMONEAU (1977).

CARREAU, Serge, sous la dir. de, *Analyse du phénomène de l'abandon, son ampleur, ses causes et les possdibilités d'intervention*, Annexe 8 du Rapport du groupe de travail sur l'habitation, Éditeur officiel du Québec, avril 1976, 159 p.

CASTELLS, Manuel, *La question urbaine*, «Textes à l'appui», Paris, François Maspero, 1972, 529 p.

CENTRE DE RECHERCHE ET D'INNOVATIONS URBAINES, *Document de travail sur les hypothèses de développement du centre-ville de Sherbrooke*, Université de Montréal, C.R.I.U., janvier 1974, 19 p.

CENTRE DE RECHERCHE ET D'INNOVATIONS URBAINES, *Proposition d'une aire de réaménagement dans le cadre des programmes d'amélioration de quartiers*, Université de Montréal, C.R.I.U., novembre 1974, 33 p. + annexes.

CENTRE DE RECHERCHE ET D'INNOVATIONS URBAINES, *Revitalisation du centre-ville de Sherbrooke Dossier social*, Université de Montréal, C.R.I.U., 1974c.

CENTRE ST-PIERRE, Collectif Promotion communautaire, *Portrait du Centre-sud, Montréal, 1984*, 24 p.

CHOKO, Marc H., *Crise du logement et capital immobilier: Montréal - Le redéveloppement du centre-ville de 1957 à nos jours*, Thèse de doctorat de 3e cycle, Institut d'urbanisme - Université de Paris VII, mai 1981, 425 p.

CHOKO, Marc H., T.M. CHAU et J. SAINT-PIERRE, *Impact de la restauration dans les quartiers centraux de Montréal, Rapport final*, Montréal, LARSI-U.Q.A.M., 1985, 160 p.

CHOVET, François, *Grenoble, les conditions d'une intervention globale sur un quartier ancien*, Fondation des villes, mai 1977, 74 p.

CHUNG, Joseph H., *Offre de terrains résidentiels au Québec*, Étude préparée pour le Groupe de travail sur l'Habitation - Annexe 13, Montréal, LARSI-U.Q.A.M., décembre 1975.

CICIN-SAIN, B., «The Costs and Benefits of Neighborhood Revitalization», in ROSENTHAL, Donald B. édit., *Urban Revitalization*, Urban Affairs Annual Reviews, vol. 18, Beverly Hills (Cal.), Sage Publications, 1980, pp. 49-76.

CLINIQUE D'AMÉNAGEMENT, Université de Montréal, *Restauration: dossier-clinique - Recherche: les conséquences de la restauration résidentielle subventionnée dans les quartiers en périphérie de Montréal pour les locataires,* Clinique d'aménagement, Université de Montréal, décembre 1976, 119 p. + annexes.

COING, Henri, *Rénovation urbaine et changement social - l'îlot no 4 (Paris 13e),* Coll. «l'Évolution de la Vie Sociale», Paris, Les Éditions Ouvrières, 1966, 303 p.

COLBAN, J.C., *La mobilité artisanale dans le quartier Berriat,* Grenoble, A.U.R.G., septembre 1977, 27 p.

COLLIN, Jean-Pierre, *Le Développement résidentiel suburbain et l'exploitation de la ville centrale,* «Études et documents», no 23, Montréal, I.N.R.S.-Urbanisation, 1981, 141 p.

CONSOLINO, Daniel, *Aménagement urbain et contrôle social: le cas du PAQ du quartier Terrasse-Ontario (Montréal),* Mémoire réalisé à l'Institut d'urbanisme, Université de Montréal pour l'Institut d'Aménagement régional d'Aix-en-Provence, juin 1977, 212 p. + annexes.

CORPORATION DES COMMERÇANTS DU CENTRE-VILLE, *Commentaires sur la première phase de la revitalisation,* Sherbrooke, texte révisé, 1980.

C.R.I.U., voir CENTRE DE RECHERCHE ET D'INNOVATIONS URBAINES.

CUSENIER, Bernard, *L'Activité commerciale sur le quartier Berriat à Grenoble,* Rapport de stage, Grenoble, A.U.R.G., septembre 1979, 8 p. + tableaux.

DAGENAIS, Suzanne, Carmen GUERARD, Richard MARCOUX et Carole PERREAULT, *Impact de la rénovation dans le quartier Centre-sud à Montréal,* Projet Été-Canada, Montréal, Comité-Logement Centre-sud, septembre 1984, 65 p. + annexes.

DANSEREAU, Francine, coord., *Au-delà de la crise: les tendances dans le domaine de l'habitation,* Document de support préparé pour le Colloque Habitation 82 du 14 octobre 1982, organisé conjointement par la Revue Actualité immobilière (U.Q.A.M.) et l'I.N.R.S.-Urbanisation, 127 p.

DANSEREAU, Francine, «La réanimation urbaine et la reconquête des quartiers anciens par les couches moyennes: tour d'horizon de la littérature nord-américaine», *Sociologie du travail,* no 2-85, pp. 191-205.

D'ARCY, François *et al., Espace et politique 1- La région dans la dynamique de la formation française,* Grenoble, CERAT, 1977.

DELBARD, Bernard, «Politique de l'État et demande sociale dans les quartiers anciens», *Annuaire de l'aménagement du territoire, Tome VIII,* Grenoble, Presses universitaires de Grenoble, 1977, pp. 277-297.

DELBARD, B., R.P. GATTEFOSSE, C. LACROIX, J.F. PARENT et M.F. SOULAGE, *L'Adolescence d'un nouveau pouvoir communal - Grenoble 1965-1976,* Grenoble, Université des Sciences sociales, U.E.R. Urbanisation-Aménagement, 1978, 415 p. + annexes.

DEMERS, Clément, «Préservation et mise en valeur du patrimoine. L'expérience montréalaise», *Metropolis,* nos 48/49, 1981, pp. 113-126.

DIVAY, Gérard et Marcel GAUDREAU, *La Formation des espaces résidentiels - Le système de production de l'habitat urbain dans les années soixante-dix au Québec,* Montréal, I.N.R.S.-Urbanisation, Presses de l'Université du Québec, 1984, 262 p.

DIVAY, Gérard et Jacques GODBOUT, *Une politique de logement au Québec?,* «Les Cahiers du C.R.U.R.», no 5, Montréal, I.N.R.S.-Urbanisation, Les Presses de l'Université du Québec, 1973, 265 p.

DIVAY, Gérard et Georges MATHEWS, *Le Logement: questions et politiques,* «Rapports de recherche», no 6, Montréal, INRS-Urbanisation, mars 1981, 240 p.

DREYFUS, Jacques, *Étude comparative des politiques d'amélioration du tissu urbain existant* (Rapport du Coordonnateur), Nations-Unies, Commissions économiques pour l'Europe, Comité de l'habitation, de la construction et de la planification, Quatrième conférence de la CEE sur la recherche urbaine et régionale, Paris, 2-7 juin 1980, 17 p.

DUBUC, Jean-Guy, «Donner à Montréal un rôle original», *La Presse,* Montréal, samedi 2 février 1980, p. A4.

ÉZOP-QUÉBEC, *Une Ville à vendre,* Montréal, Éditions coopératives Albert Saint-Martin, 1981, (première édition -maison en quatre cahiers, 1972), 559 p.

FAINSTEIN, Norman I. et Susan S. FAINSTEIN, «Restructuring the American City: A Comparative Perspective» in FAINSTEIN N.I. et S.S. FAINSTEIN, édit., *Urban Policy under Capitalism,* Urban Affairs Annual Reviews, vol. 22, Beverly Hills (Cal.), Sage Publications, 1982, pp. 111-189.

FILION, Gérard, «Éditorial», *Le Devoir,* Montréal, 5 octobre 1960.

FOGGIN, Peter et Mario POLESE, *La Géographie résidentielle de Montréal en 1971,* «Études et documents», no 1, Montréal, I.N.R.S.-Urbanisation, janvier 1976, 43 p.

FORTIN, Louise (sous la direction de Jacques GODBOUT avec la collaboration de Francine DANSEREAU), *Les Formes marginales de propriété au Québec. 2- Étude de la formule coopérative et de la copropriété indivise,* «Études et documents», no 19, Montréal, I.N.R.S.-Urbanisation, novembre 1980, 104 p.

FRAPPAT, Pierre, *Grenoble: le mythe blessé,* Paris, Alain Moreau, 1979, 542 p.

FRONT D'ACTION POPULAIRE EN RÉAMÉNAGEMENT URBAIN, *Des Quartiers où nous pourrons rester,* Cahier de revendications, Montréal, FRAPRU, mars 1980, 30 p.

GALE, Dennis E., «Middle Class Resettlement in Older Urban Neighborhood», *Journal of the American Planning Association,* vol. 45, no 1, 1979, pp. 293-304.

GALE, Dennis E., «Neighborhood Resettlement: Washington, D.C.», in BRADWAY LASKA, Shirley et Daphne SPAIN, *Back to the City: Issues in Neighborhood Renovation,* New York, Pergamon Press, 1980, pp. 95-115.

GALLANT, Richard, *Les Programmes d'amélioration de quartier (P.A.Q.): application à 6 villes de taille moyenne au Québec*, «Bulletin de recherche», no 36, Sherbrooke, Département de géographie, Université de Sherbrooke, novembre 1977, 70 p.

GANS, Herbert J., «Urbanism and Suburbanism as Ways of Life: a Re-evaluation of Definitions», in ROSE, A.M., dir., *Human Behavior and Social Proresses*, Boston, Doughton Mifflin G., 1962, pp. 625-648.

GARCIAS, J.C. et J.J. TREUTTEZ, «Théories conservationnistes en France et en Grande-Bretagne», *Techniques et architectures*, déc. 1978, no 322.

GERMAIN, Annick, «Sociologie du retour à la ville», *Continuités*, no 22, 1984, pp. 35-37.

GRENOBLE (Ville de), *Note d'information sur le CEMOI*, mars 1981.

GRENOBLE (Ville de), *Opération programmée d'amélioration de l'habitat de Grenoble, Berriat*, 1979.

Grenoble ouest, bulletin d'information et de liaison édité par l'Union des habitants du quartier Chorier-Berriat-Vercors, no 3, décembre 1967.

GRENOBLE (Ville de), Services techniques, Services Vieux Quartiers, *Le point sur l'action entreprise par la municipalité dans les quartiers anciens (Centre - Rive Droite - Berriat)*, Introduction: Quartiers et centre-ville (AURG), Conseil municipal du 3 mars 1980, 38 p.

LES HABITATIONS COMMUNAUTAIRES DU CENTRE-SUD DE MONTRÉAL, *Les Politiques de rénovation: pour qui?*, Montréal, Les habitations communautaires du Centre-sud de Montréal, 1978, 44 p.

HARTMAN, Chester, «Comment on »Neighborhood Revitalization and Displacement: a Review of the Evidence«, *Journal of the American Planning Association*, vol. 45, no 4, 1979, pp. 488-490.

Hebdo-Coop, spécial, no 31, décembre 1981.

HELLYER, Paul, président, *Rapport de la Commission d'étude sur le logement et l'aménagement urbain*, Ottawa, 1969, 96 p.

ION, Jacques et André MICOUD, «La commune entre l'État et le quartier - Quelques notes sur l'évolution des types de légitimation de la pratique politique municipale», *Espaces et Sociétés*, nos 34-35, juillet-décembre 1980, pp. 83-96.

JOLY, Jacques, «Aspects de la politique urbaine à Grenoble», *Revue de Géographie alpine - Spécial «Villes et Urbanisme dans les Alpes du Nord»*, Tome LXX, 1982, 1-2, pp. 7-30.

JOLY, Jacques, «Évolution démographique et sociale de Grenoble (1976-1979)», *Revue de Géographie alpine*, Tome LXVIII, no 1, 1980, pp. 5-20.

JOLY, Jacques, «Structure sociale de l'agglomération et des quartiers de Grenoble», *Revue de Géographie alpine*, Tome LXVII, no 4, 1978, pp. 385-407.

LA HAYE, Jean-Claude et Ass., urbanistes-conseil, *Rénovation urbaine - Concept général - Zone St François - Cité de Sherbrooke*, 21 janvier 1969, 39 p.

LA HAYE, Jean-Claude et Ass., urbanistes-conseil, *Rénovation urbaine - Programme détaillé - Zone St François - Cité de Sherbrooke,* 17 novembre 1969, 60 p. + cartes et annexes.

LAMARCHE, François, «Les fondements économiques de la question urbaine», *Sociologie et Sociétés,* vol. 4, no 1, mai 1972, pp. 15-41.

LEDRUT, Raymond, *L'Espace en question - ou le nouveau monde urbain,* Paris, Éd. Anthropos, 1976, 361 p.

LEDRUT, Raymond, sous la direction de, *Le Pouvoir local,* Paris, Éditions Anthropos, 1979, 332 p.

LEFÈBVRE, Blaise, *Une Ville à bâtir, Rapport de recherche sur le logement à Montréal,* Montréal, Conseil des services sociaux du Montréal métropolitain, 1979, 403 p.

LEFÈBVRE, Claude, *Évolution de la situation du logement dans le quartier Centre-sud, Montréal: 1961-1981,* Montréal, 1981, 39 p.

LEGAULT, Guy, président, *Habiter au Québec,* Rapport du Groupe de travail sur l'habitation, Québec, Éditeur officiel du Québec, 1976, 152 p.

LÉONARD, Jean-François, *L'Évolution du rôle du service d'urbanisme de la Ville de Montréal dans l'orientation de la politique d'aménagement de la ville de Montréal (1941-1971),* Thèse présentée à l'Université du Québec à Montréal comme exigence partielle de la maîtrise ès arts (Science politique), septembre 1973, 138 p.

LÉVEILLÉE, Jacques, *Développement urbain et politiques gouvernementales urbaines dans l'agglomération montréalaise 1945-1975,* «Études en science politique», no 1, Société canadienne de science politique, 1978, 608 p.

LÉVEILLÉE, Jacques, «Les stratégies de réponse à la crise de croissance des années soixante-dix à Montréal», texte de la communication présentée au colloque *Mise en question de l'État providence et émergence de la Cité,* organisé par le Comité no 3, «Recherches communautaires», de l'Association internationale de sociologie et tenu à l'Université de Paris X, Nanterre, les 10, 11 et 12 octobre 1983.

LÉVEILLÉE, Jacques, Richard BOYER, Louis ROY et Pierre VILLENEUVE, «Les leaders socio-économiques et politiques montréalais: à la recherche d'une nouvelle fonctionnalité», in GERMAIN, Annick et Pierre HAMEL, textes rassemblés et présentés par, *Aménagement et pouvoir local,* Cahiers de l'ACFAS no 31, 1985, pp. 7-26.

LIPTON, Gregory S., «Evidence of Central-City Revival», in BRADWAY LASKA, Shirley et Daphne SPAIN, éd., *Back to the City: Issues in Neighborhood Renovation,* New York, Pergamon Press, 1980, pp. 42-60.

LITHWICH, N.H., *Le Canada urbain: ses problèmes et ses perspectives,* Ottawa, Société centrale d'hypothèques et de logement, 1970, 262 p.

LOINGER, G. et P. VENNY, «Caractéristiques sociales des secteurs de réhabilitation à Paris», *Métropolis,* no 44-45, 1980.

LOJKINE, Jean, «Politique urbaine et pouvoir local», *Revue française de sociologie,* octobre-décembre 1980, XXI-4, pp. 633-651.

LONDON, Bruce, «Gentrification as Urban Reinvasion: Some Preliminary Definitional and Theoretical Considerations», in BRADWAY LASKA, Shirley et Daphne SPAIN, édit., *Back to the City: Issues in Neighborhood Renovation,* New York, Pergamon Press, 1980, pp. 77-92.

LA MAISON DU FIER MONDE, *Visite dans le Centre-sud,* Montréal, Les Éditions de la Maison du Fier Monde, 1982.

MARTEL, J.-C., *Terrasse-Ontario: les industries,* rapport interne, Ville de Montréal, Service de l'urbanisme, 1980a.

MARTEL, J.-C., *Terrasse-Ontario: Programme d'amélioration de quartier - Mise en œuvre, Phase II,* Rapport interne, Ville de Montréal, Service de l'urbanisme, 1980b.

MARSAN, Jean-Claude, *Montréal en évolution - Historique du développement de l'architecture et de l'environnement montréalais,* Montréal, Éditions Fides, 1974, 423 p.

MARTIN, Fernand, «Rôle historique de Montréal dans le système urbain du Québec, du Canada et de l'Amérique du Nord» in *Montréal: les forces économiques en jeu,* «Programme Accent Québec», Montréal, l'Institut de recherche C.D. Howe, mai 1979, 44 p.

MAUGUEN, P.Y. et J. DECREQUY, «Initiative locale et réhabilitation», *Metropolis,* nos 44-45, 3e trimestre 1980.

MAYER, Robert, *L'Idéologie du réaménagement urbain à Québec (quartier St Roch) et à Montréal (quartier Petite Bourgogne),* Thèse de doctorat en sociologie, Québec, Université Laval, 1976, 514 p.

MAYER-RENAUD, Micheline, *La distribution de la pauvreté et de la richesse dans les régions urbaines du Québec - Portrait de la région de Montréal,* Montréal, Centre de services sociaux du Montréal métropolitain, février 1986, 109 p.

MÉDAM, Alain, «Éléments d'analyse du pouvoir municipal», *Espaces et Sociétés,* nos 20-21, mars-juin 1977, pp. 29-46.

MONTRÉAL (Ville de), *Rapport annuel 1979,* Ville de Montréal, CIDEM-Communications, 1980, 106 p.

MONTRÉAL (Ville de), Service de l'habitation, Division des programmes, *Terrasse-Ontario: Proposition de réaménagement,* septembre 1970, 50 p.

MONTRÉAL (Ville de), Service de l'habitation et de l'urbanisme, Division des programmes, *Terrasse-Ontario: Programme d'amélioration de quartier,* mai 1974, 34 p. + annexes.

MONTRÉAL (Ville de), Service de l'habitation et de l'urbanisme, Division des programmes, *Terrasse-Ontario: Programme d'amélioration de quartier - Mise en œuvre - Première étape,* février 1976, 54 p.

MONTRÉAL (Ville de), Service de l'urbanisme, *Bulletin technique,* no 3, 1964.

MONTRÉAL (Ville de), Service de l'urbanisme, *La Petite Bourgogne: programme préliminaire de rénovation urbaine,* «Bulletin spécial», no 1, mars 1965, 109 p.

MONTRÉAL (Ville de), Service de l'urbanisme, *P.A.Q. de Champlain, Programme d'amélioration de quartier,* 30 juillet 1982, 39 p.

MONTRÉAL (Ville de), Service de l'urbanisme, *Programme d'interventions dans les quartiers anciens (P.I.Q.A.) - Secteur de Champlain,* 1982b.

MONTRÉAL (Ville de), Service de l'urbanisme, *Terrasse-Ontario: Programme d'amélioration de quartier - Mise en œuvre - Deuxième étape,* 20 novembre 1981, 81 p.

NORA, Simon et Bertrand EVENO, *Rapport sur l'amélioration de l'habitat ancien,* Paris, La Documentation française, 1975, 200 p.

OFFICE DE PLANIFICATION ET DE DÉVELOPPEMENT DU QUÉBEC, *Analyse de la situation du logement et du développement résidentiel,* Coll. «Dossiers techniques de la Région de Montréal», O.P.D.Q., 1980, 114 p.

OFFICE DE PLANIFICATION ET DE DÉVELOPPEMENT DU QUÉBEC, *L'Armature urbaine de l'Estrie,* Coll. «Les schémas régionaux», O.P.D.Q., 1977, 227 p.

OFFICE DE PLANIFICATION ET DE DÉVELOPPEMENT DU QUÉBEC, *Les Orientations du développement régional de Montréal,* Coll. «Dossiers techniques de la Région de Montréal», O.P.D.Q., 1979a, 268 p.

OFFICE DE PLANIFICATION ET DE DÉVELOPPEMENT DU QUÉBEC, *La Problématique de l'Estrie,* Coll. «Les schémas régionaux», O.P.D.Q., 1978, 296 p.

OFFICE DE PLANIFICATION ET DE DÉVELOPPEMENT DU QUÉBEC, *Les Revenus,* Coll. «Dossiers techniques de la région de Montréal», O.P.D.Q., 1979b, 125 p.

O.P.D.Q., voir OFFICE DE PLANIFICATION ET DE DÉVELOPPEMENT DU QUÉBEC.

PAQUETTE, Romain, sous la direction de, *Sherbrooke, ses assises, sa population, sa croissance: études géographiques,* Coll. «Patrimoine», Sherbrooke, Les Éditions Sherbrooke Inc., 1979, 195 p.

PARK, R.E., E.W. BURGESS et R.D. MACKENZIE, *The City,* Chicago, University of Chicago Press, 1925.

PERSUY, P., *L'Artisanat dans le quartier Berriat - St Bruno,* Grenoble, AURG, 30 septembre 1974, 19 p. + annexes.

PICHÉ, C., «Le développement industriel sur le territoire de la Ville de Montréal», *Actualité immobilière,* vol. 7, no 1, 1983.

PIOTTE, Serge, *La Rénovation urbaine et le phénomène de pression* (étude monographique: le cas de La Petite Bourgogne à Montréal), Thèse de maîtrise, Département de sociologie, Université de Montréal, 1970, 222 p.

«Une politique pour les quartiers anciens», *Grenoble: magazine d'information et de documentation municipale,* supplément au journal, «Grenoble», no 2, novembre 1980, 83 p.

QUÉBEC (gouvernement du), ministère de l'Habitation et de la Protection du consommateur, *Se loger au Québec,* gouvernement du Québec, 1984, 208 p.

RACICOT, Jean, Benoît FONTAINE, Jules JEANSON, Francine SAVARY, Sylvie CLOUTIER et Micheline LEBRUN, *Le Chapiteau,* Sherbrooke, Fédération des coopératives d'habitation populaire des Cantons de l'Est (sans date), 48 p.

RÉPUBLIQUE FRANCAISE, Commissariat général du plan, *Situation de la rénovation urbaine,* Préparation du VIe Plan.

RICH, Richard C., «The Political Economy of Public Services», in FAINSTEIN, Norman I. et Susan S. FAINSTEIN, *Urban Policy Under Capitalism,* Urban Affairs Annual Reviews, vol. 22, Beverly Hills (Cal.), Sage Publications, 1982, pp. 191-212.

ROSE, D., «Rethinking Gentrification: Beyond the Uneven Development of Marxist Urban Theory», *Environment and Planning D.: Society and Space,* 1984, vol. 1, pp. 47-74.

ROUSSEAU, Albert et Roger BEAUWEZ, *L'Expérience de Grenoble - l'action municipale: ses possibilités, ses limites,* Coll. «Pouvoir Local», Paris, Les Éditions Ouvrières, 1971, 188 p.

ROY, Jean, *Montréal, ville d'avenir - projet collectif pour les montréalais,* Montréal, Éd. Quinze, 1978, 296 p.

SANDERS, Heywood T., «Urban Renewal and the Revitalized City: A Reconsideration of Recent History», in ROSENTHAL, Donald B., édit., *Urban Revitalisation,* Urban Affairs Annual Reviews, vol. 18, Beverly Hills (Cal.), Sage Publications, 1980, pp. 103-126.

SAVARD, Agnès, *Le CLSC Centre-sud de Montréal - Proposition de critères d'évaluation qualitative continue de l'activité du CLSC et bilan provisoire des opérations du Centre,* novembre 1975, 118 p.

S.C.H.L., voir SOCIÉTÉ CANADIENNE D'HYPOTHÈQUES ET DE LOGEMENT ou SOCIÉTÉ CENTRALE D'HYPOTHÈQUES ET DE LOGEMENT.

SHERBROOKE (Ville de), *Bulletin d'information municipale,* vol. 3, no 2, décembre 1977.

SHERBROOKE (Ville de), Services techniques, *Rapport annuel 1980,* le 21 mars 1980, 16 p.

SHERBROOKE (Ville de), Services techniques, Division de l'habitation, *Un Centre-ville à vivre,* 1981, 31 p.

SHERBROOKE (Ville de), Services techniques, Division d'urbanisme, *Programmes d'amélioration de quartier et de dégagement de terrain: nouvelle aire de réaménagement,* mars 1975.

SHERBROOKE (Ville de), Services techniques, Division d'urbanisme, *Programme d'amélioration de quartier, phase I: 1- Dossier analytique,* octobre 1976a, 122 p.

SHERBROOKE (Ville de) Services techniques, Division d'urbanisme, *Programme d'amélioration de quartier, phase I: 2- Dossier programme,* octobre 1976b, 234 p.

SHERBROOKE (Ville de), Services techniques, Division d'urbanisme, *Programme d'aménagement de quartier, phase II,* août 1978, 84 p.

SHERBROOKE (Ville de), Services techniques, Division d'urbanisme, *Proposition d'une aire de réaménagement dans le cadre des programmes d'amélioration de quartier,* 1974.

SIMONEAU, Jean, sous la direction de, *Avant de se retrouver tout nu dans la rue - le problème du logement,* Montréal, La Fédération des unions de familles, Éditions Parti Pris, 1977, 444 p.

SMETZ, Marcel, «La rénovation urbaine en Europe occidentale: 1945-1980», texte de la conférence prononcée au Congrès international d'architecture tenu à Québec du 28 au 31 mai 1980 et ayant pour thème *Conservation, réhabilitation, recyclage.*

SMITH, Neil, «Toward a Theory of Gentrification: A Back to the City Movement by Capital not People», *Journal of the American Planning Association,* vol. 45, no 4, 1979, pp. 538-548.

SOCIÉTÉ CANADIENNE D'HYPOTHÈQUES ET DE LOGEMENT, *Rapport annuel 1979.*

SOCIÉTÉ CENTRALE D'HYPOTHÈQUES ET DE LOGEMENT, *Statistiques du logement au Canada, 1973.*

SUMKA, Howard J., «Neighborhood Revitalization and Displacement: a Review of the Evidence», *Journal of the American Planning Association,* vol. 45, no 4, 1979, pp. 480-487.

SUNDERLAND, PRESTON, SIMARD ET ASS., *Plaza King-Wellington: concepts de réaménagement,* 1973.

SURVEYER, NENNINGER ET CHENEVERT INC., *Cité de Sherbrooke, Place hôtel de ville - étude préliminaire,* 1973.

THELLIER, M.A., «Choisir les axes de croissance», *Le Devoir,* Montréal, jeudi 26 février 1981.

U.M.Q., voir UNION DES MUNICIPALITÉS DU QUÉBEC.

UNION DES MUNICIPALITÉS DU QUÉBEC, *Mémoire sur l'habitation et la rénovation urbaine,* Rapport sur la journée d'étude du 24 septembre 1969.

VACHON, Bernard, *Analyse des programmes de restauration résidentielle à Montréal, Québec, Drummondville, Lachute, Chicoutimi et Jonquière,* Annexe 7 du Rapport du Groupe de travail sur l'habitation, Montréal, Département de géographie, Université du Québec à Montréal, décembre 1975, 137 p. + annexes.

VELTMAN, Calvin, «L'évolution de la ségrégation linguistique à Montréal, 1961-1981», *Recherches sociographiques,* vol. XXIV, no 3, 1983, pp. 379-390.

WATTERS, Claude, «La vrai pauvreté de Centre-sud», *Le Temps fou,* mars-avril 1978, pp. 9-17.

YOTTE, Y., *Développement, normalisation et pratiques de l'espace urbain appréhendés à partir du logement et de la mobilité urbaine à Grenoble,* Thèse de 3e cycle, Université des Sciences sociales de Grenoble, UER Urbanisation-Aménagement, juin 1976.